MAKING TRACKS

MAKING TRACKS

and other poems
William Neill

Too late now to be twisting
a rough tongue to the accents of London,
but blabbering with my Carrick lips
Gaelic and villain I must bide,
impudent in saffron back and side.

GORDON WRIGHT PUBLISHING
25 MAYFIELD ROAD, EDINBURGH EH9 2NQ
SCOTLAND

Acknowledgements

Included in this selection are a number of poems which first appeared in the following publications: *Cencrastus; Chapman; Gairm; Lallans; New Writing Scotland; Orbis; Screivins; A Second Scottish Poetry Book* (O.U.P.)*; Stornoway Gazette; Times Educational Supplement (Scotland)*.

The publisher acknowledges subsidy from the Scottish Arts Council towards the publication of this volume.

British Library Cataloguing in Publication Data

Neill, William
Making Tracks
I. Title
821'. 914

ISBN 0-903065-65-7

Typeset by Gordon Wright Publishing Ltd.
Printed by Billing & Sons Ltd. Worcester.

CONTENTS

Gaelic poems are followed immediately by a literal translation.

O DONNA MIA

(Frae the Italian o Guido Cavalcanti 1255-1300)

Ochon, ma leddie did ye nivir see
yon yin wha pit his haund atour ma hairt
whan I spak quaitlie, saftlie? I wes feart
o thon sair dunts he micht hae dune tae me,
for he wes Luve made oor discoverie,
an ercher, swippert cam frae Syrian airt
wha cairries at his belt a deidlie dairt,
an here he bides, sae fowk maun shairlie dee.

Siccan a lowe he brocht oot frae yir een,
sae strang the flain ma briest wes stoundit sair
an frae yir companie I fled awa;
but fell Daith kythed tae meet me rinnan thare
an brocht alang his muckle stangs an teen
that gar us grane, an the sair tears tae faa.

ARCHAEOLOGICAL, ECUMENICAL

Eftir an eident howkin o the yird,
the Reverend Tumshie offert up a prayer,
ower bruckle auncient banes set lair on lair,
maist ecumenical, takkin nae regaird
o onie nerra, dowff sectarian herd.
A wheen o heathen Vikings liggan thare,
eftir some wud gilravigin affair.
didna jist like the wey they had been saired.

Thay spanged oot frae yon gallus, coorse Valhalla,
lik rowan-berries fufft frae yarra-shanks
t' Election's Paradise against thair wulls.

an airt owre douce for a sea-faurin fella.
Comparisons airned Tumshie little thanks
frae chiels thirled tae strang drink in faemen's skulls.

CART WHEELS

At twelve years old I drove a sweating pair
of Clydesdales down the edge of standing corn.
Five times my age, old Jock beside me there
worked the tiltboard and cursed me for a born
fool, if I let them walk out from the edge
or snagged the corn-divider in the hedge.

Taught me to harness horses and drive carts,
to curry-comb while hissing through slack lips,
to work a ricklifter and all the arts
that rural pride from the dumb city keeps.
I'd imitate his ploughman walk and grin,
wear strings below my knee-joints just like him.

Torn from these agricultural concerns,
ten times Jock's wages in the city hubbub
I found quite early on that I could earn,
and live within a comfortable suburb
where painted cartwheels have become folk-art
and of some prissy garden form a part.

Red, green and blue they stand at gable walls
or are converted into garden gates;
some, small enough, may stand inside a hall,
a conversation piece for dinner dates.
Jock would have spat, and coarsely cursed such tricks
and split the lot up into kindling sticks.

TRIPTYCH

Balefire is becalmed at last,
careened by the ebbing of vanity
on this lone hill, looking to other hills,
across the long lochs, pine woods and birken shaws,
has struck his bargain with the world's logic,
to reach his own heretical conclusions,
make his own country in an inner land.

For there are no real answers to such questions
as Balefire used to ask; no new adventure
but to be dead soon with no need for question.
Only in dying can be found an answer.

There were times before when the ringing of bells,
the vendors of rhetoric could stir him to the bone.
There was a time he walked the cold bare ridge,
assessing the status of Rabbi Yeshua,
Lord Jesus, Sidi Aissa, other prophets,
above the layered smoke from the small tight houses,
where God was seen in the flaming of a candle,
or cope and cassock derided and denied,
salvation sought upon the narrow way,
sanctity walking its own path, alone.

Far below in the narrow glen that bore him,
they nurse old bigotries, divided into sects;
there has been no new choice
of vice or aspiration,
merely a greater brashness in them both.
He tried to reconcile their prejudice,
to tread their razor's edge to special ends,
coming to no conclusions, wondering
where is the evidence of favour
given to synagogue, steeple, pagoda, minaret,
remembering the visited far country
where a mere accident of tribe could make
Muslim or Jew, the follower of a Way
followed by all the neighbours.

Now Balefire gives unquestioning allegiance
only to his own heart, a heresy
too gross for their sectarian forgiveness.

Once bent upon his own syncretist sabbath
on the black clints above the narrow town,
he heard the *Shema* echo in his mind,
the chant of choirs in a high ecstasy,
remembered the muezzin's holy cry,
the humble hermit's song in the long desert.
Now, at the last, his soul clutches at silence,
accepts this seeming whisper of an answer.

Down in the glen they struggle, haves and have-nots,
stout Mucklewame and starveling Toombodie
as separate in thought as in their bodies;
who share contempt of Balefire's maunderings . . .
see him as a wasted, useless pedant,
given to heresies on church and state.

Mucklewame dodges Romishness in church,
at morning service, occasional communions,
believes in the necessity of ceremony,
in proper birth, marriage and decent burial.
One approves ministers who support The Minister,
one sees the point of praying for Our Boys
to be burned and bled as political extensions.
The poor are always with him, but thank God
not in the polished pews of old St. Servus.
His life was a flow of natural progressions:
from petty cash-box to director's desk.
Status is demonstrated by Mammon's favours,
a file of perks and privileges grown fat
with tax concessions, clever accounting, legislation
to guard him from the menace of the poor
the ragged envious who would deprive him
of special education for the children,
good food and wine and smokeable cigars, the paraphernalia
sold to the man who has all but wants still more.
His subaltern images, ranked in their lesser places
between the boardroom and the artisan
act when the union is to be placated,
coaxed into belt-tightening, warned,
of economic disaster,
inflation's damnation.
He does not think directly about God,
a name he cannot speak with confidence.
Right for the pulpit, very bad for trade;

St. Francis' father was a business man
with no time for his offspring's holy antics.
Who then shall blame the equivalent Mucklewame?

Toombodie once was proud of his hard-won skill:
to file flat and square, to set up difficult gears
that cut the proper number of threads per inch;
now there is no need for his seven year pains
when robots do more than Toombodie ever could;
skills without souls in the long assembly line,
angels of Mammon on Mucklewame's workshop floor.
Redundant Toombodie scowls and frugally lives
on his bare pension and a trifling yield
from a final payment that does not pay for much.
Mucklewame planned his destruction at minimum cost;
the rules of business efficiency cannot be bent.
Sometimes through the hatch of the public bar
Toombodie spies on the talkers in the Lounge,
enjoying the virtuous fruits of increased profit
while he makes much of his once a day half pint.

Once he believed in the Union, labour's nobility,
the honour of honest toil, the socialism
that was to save his kind from all oppression.
But after all, the bourgeoisie bounced back;
once he preached in the Wooden Gospel Hut,
under an iron roof that echoed the singing,
till the comrades gave him a newer testament.
Now he awaits in piety the New Millenium
when the Workers will take over the Means of Production.
He has abandoned the old chapel superstition
that interferes with the great Onward March
towards the salvation of the proletariat . . .
if only the proletariat were not so bloody stupid,
lazy, obsessed by drink and fornication.
The same sins that inspired him in the bethel.
By the rivers of Babylon, there we sat down,
yea, we wept when we remembered Zion.
Remembering
Keir Hardie of the strong heart, going cloth-capped
and girt for battle among the Philistines.
Where are the Muirs and Macleans of yesterday . . .
ay, where are they in these uncertain days?

Mucklewame kneels close by Mrs. Mucklewame,
looks upon polished oak and high-staired pulpit
the old service in words hallowed by age,
the sound of the anthem high in the echoing vault.
Mrs. Mucklewame knows she is shriven by bread,
Mucklewame can hardly credit the wine.
I believe in Mammon, foundation of the world,
shut between heaven and hell; I believe in Futures,
the blessed fruit of safe investment funds
born of Self-Interest, enlightened,
that even when bankrupt seems to rise again.
I believe in the holy catholic church
provided it isn't a Roman Catholic Church.
Sermon and text and parable flow over Mucklewame
till the hour of blessed release to lunchtime sherry.

Toombodie remembers the certainty of youth,
sure in theology, grace and election sure,
now he knows better than all the elders do:
Jesus was a socialist centuries before Marx.
Capitalist Romans, Sadducees, Herodians
the cry of the people sounding in the wilderness:
make straight the way of the coming revolution,
when the poor shall be raised up.
How are the mighty fallen and the rich
tumbled from their proud places.

Only Balefire is left with no real creed.
Neither the God of Mucklewame, who sleeps,
nor the great Dialectical Divinity of Toombodie.
Balefire the wicked, outcast to damnation,
seeking to shed all thought upon the hill;
a heathen druid, hater of tawdry logic,
theological proofs, shibboleths of the colleges,
election, selection, idolatry of the Elements,
idolatry of the written word, hypocrisy.

Only one worship now is left to him,
the tortuous search for peace that lies within,
and is not in standings or kneelings, appointed hours,
Friday, Saturday or Sunday sabbaths, humanist non-sabbaths,
all forms of neo-magic, suburban saints.
He walks his latter day on the long ridge
to feel the rock under the spongy turf,

14

with little confidence in its solidity;
seeking a refuge from the narrow town
with its vanity of pragmatisms and prattlings:
platitudes, platitudes in the valley of derision,
prating politicos, equivocating dunces,
logically positive reckonings of fate and worth,
music broken to a mere pitch and frequency,
in hopes to find the secret of the tune.

Here on the hill there are no dead-ends of logic,
damnation-threats, mock-holy bowings and scrapings
bigotry dished up as doctrine, surface charity,
emptily tinkling among cathedral bells.

Here on the high moor there is only the wind
blowing where it listeth over the face of the world,
whispering in a void and dropping to silence.

MARKED PASSAGE

I happened on a verse you underlined
in the small book you loved so long ago;
unseen before, I knew then how you pined
and lost your life's young brightness under woe.

Saw then the reason for that sought oblivion:
a flight from circumstance's narrow way.
Remembered distance and the silent tongue
that should have spoken in your troubled day.

DE A THUG ORT SGRIOBHADH GHAIDHLIG?

Theirinn gum bu dual domh sin . . .
docha Bhaltair Mòr is coireach,
sgeadaichte gu leir 'sa bhreacan;
ged nach spiocach e mu bhriogais
b'e gluntow wi giltin hippis,
ag eubhadh 'Suas leis a'Ghàidhlig'
mus robh An Comann idir againn
's a'Bheurla Mhòr a tighinn 'san fhasan
sa Chathair cheòthach mhòir Dhuneideinn,
bu chàomh an àite sin le Uilleam
is e ag radh *ane lawland ers*
wad mak a better noyis, ma tha.

Greitand doun in Gallowa
mar bu dual don *gallow breid*
a' dranndail is ag cainntearachd
le *my trechour tung,* gun teagamh
that *hes tane ane heland strynd.*

A' siùbhal dùthaich Chinneide
bho 'Carrick tae the Cruives o Cree'
mur eil luchd-labhairt eile ann
o horo nach bithinn sùgrach
bruidhinn ris gach craobh a th'innte.

Nach b'fheàrrde mi mo neart a chur
gu sgriobhadh Beurla Lunnainn slàn,
gu faighinn leabhar bàrdachd beag
is e le còmhdach cruaidh glan
na bhithinn a' toirt *the Carrick clay*
to Edinburgh Cors a' ghràidh.

Chan abrainn gu robh daoin' agam
cho uasal ris na Cinneadaich,
ach luchd-na-speàla an Culshian
Moireasdan, Ceallach, Nèill, is Odhar
a' glaodh gu h-àrd nam chuislean-sa
b'e *hungert helant ghaists a bh'annta;*
mus robh Albais nar measg-ne
Gàidhlig aig gach fear is tè dhiubh,
is mairg gun do dh'fhairtlich sin
air Raibeart san aon dùthaich seo.

WHAT COMPELLED YOU TO WRITE IN GAELIC?

I would say that was my right,
probably Walter Mor's to blame
dressed up in the Gaelic fashion;
though not mean about the breeches
he went bare-kneed with saffron hippings
shouting 'Up with the Gaelic'
before An Comann was with us at all,
and posh English coming into fashion
in the big smoky city of Edinburgh
a place that William (Dunbar) much liked
and he saying that one lowland arse
would make a better noise, indeed.

Grumbling down in Galloway
the habit of yon gallows breed,
muttering and deedling (like a piper)
with my traitor tongue, doubtless,
that has taken a Highland twist.

Travelling in Kennedy's country
from 'Carrick to the Cruives o Cree'
if I find no other speakers (of Gaelic)
o horo won't I be joyful
speaking to each tree that's there.

Would it not have been better to spend my powers
writing faultless London English,
so I could get a little poetry book
with clean hard covers on it,
than that I should bring the Carrick clay
to Edinburgh Cross, my dear.

I would not say I came from people
as lordly as the Kennedies,
but farmhands in Culzean
Morrison, Kellie, Neill and Orr
crying aloud in my veins,
hungry highland ghosts they were,
before braid Scots came in among us
every man and woman had Gaelic
a pity that it was denied
to Robert (Burns) in that same country.

O horo nach mi tha bàigheil
bhith nam fhuigheal nan Gaidheal deasaich;
Gaidhlig bhlasda Bhaltair Cinneide
eadar Rachrainn agus Manainn
eadar Dalruigh is Cinntire,
is Creag Ealasaid mar usgar
chnapa 'r thargaid dùthaich Ualraig,
Bruis is Aonghais is na Dughallaich,
dùthaich Bhluchbard agus Cian,
Rabbie is The Helant Captain,
is ma bhios feadhainn a' gearann
gun do sgriobh mi cùs 'sa Ghàidhlig,
b'e Cinneide a nochd an ròd dhomh;
le *sic eloquence*, mo thruaighe,
as they in Erschry use, mo thogair
is set my thraward appetyte.

Ro-fhadalach a nis bhith toinneadh
teanga borb gu bhlaschainnt Lunnainn,
but blabberand wi my Carrick lippis
Ersche and brybour I maun bide,
sawsy in saffron back and side.

O horo am I not joyful
to be a relic of the Southern Gaels;
warm Gaelic of Walter Kennedy
between Rathlinn and the Isle of Man
between (St. John's Town of) Dalry and Kintyre,
and Ailsa Craig like the jewel
on the boss of the shield of the land of Kennedy
of Bruce, of Angus (of Islay) and of the MacDowalls,
the land of the Bluchbard and Cian
Rabbie and the Highland Captain,
and if some should complain
that I write too much in Gaelic
it was Kennedy that pointed the way;
with some eloquence, (Gaelic exclamation)
as Gaelic poets use, (Gaelic exclamation)
is set my capricious (literary) taste.

Too late now to be twisting
a rough tongue to the accents of London,
but blabbering with my Carrick lips
Gaelic and villain I must bide,
impudent in saffron back and side.

SEALLTAINN THAR CHLUAIDH

Cuimhne leam oidhche dhorcha ghailleanach,
deireadh na Samhna, stoirm a' togail sgleat,
gaoth mhòr bheucach, bhagrach
'na deann-ruith seachad air Arainn is cathair Shuibhne,
is mi air tràigh eadar m'athair 's mo sheanair,
is greim teann aca air gach làmh agam.
Ged nach b'urrainn dhaibh m' aodann a dhionadh
bho sgiùrsair guineach nam frasan,
le acair daingeann gach taobh dhiom
cha b'urrainn don duile mo bhriseadh.

Sin thanaig onfhaidhean eile orm
bho aigeann dhorcha gun ghrunnd
is mi gu lèir gun acair,
le làmh neo-chinnteach air an stiùir.

Ach fhuair mi aig a cheann thall
sàbhailte gu cala, agus tha fèath ann.

Linne Chluaidh mar sgàthan, ciùin fom shùil.

LOOKING OVER CLYDE

I remember a dark night of gales
at the end of November, a storm lifting the slates
a great roaring, threatening wind in its mad dash past Arran and Suibhne's
chair (Ailsa Craig),
when I was on the shore between my father and grandfather
who had a tight grip on both my hands
although they could not keep the stinging whip of the showers from my face
with a strong anchor on both sides of me
the elements could not break me.
Then other tempests came upon me
from a dark bottomless abyss
and I was completely without an anchor
an uncertain hand on the tiller.
But in the end I arrived
safely to harbour, and there is calm.
Firth of Clyde like a mirror, gentle under my eyes.

YONNER AWA

Yonner awa, faur owre Clauchrie Tap
the smirrin clouds o the gloamin fa
in murnin reebans doun in ilka glack
tae thowe the shairds o the winter snaw.
Ma thochts are gruppit wi a skeer mindin
o a biggin faur owre the muir awa . . .
the brawest airt o ma halflin bydin
whaur ma hert raise up wi the daylicht's daw.

The Makkars say whit the hert lacks
is skailt abreid in the licht o Mey . . .
the morn it micht be that the suin braks
tae pent the hulls wi the wairtid's blae;
but thare's nae saw for whit canna hale . . .
a grienin eftir a santit day.
thare's nae licht in onie lift kin steal
the lang ladin o a lastie wae.

SUNDAY SCHOOL

Our Mr. Sanctus said the money went
to educate the heathen; while we sat
too young to take the adult sacrament,
but learning all the holy words off pat.

With the good ladies in the sacred Hall
we touched on tales we scarcely understood,
vague sins that made no sense to us at all,
although Miss Prism seemed to think them rude.

I watched the dancing motes of shining dust,
dreamt of the heathen lying in the sun,
and how my offered penny surely must
make plain to him how Three is always One.

Woke to unyielding benches and the smell
of fading naphthalene on Sunday cloth
and thought how naked heathens, bound for hell,
required no salve from the Corrupting Moth.

COCKTAILS FROM SHAKESPEARE

King Duncan's bedroom splashed about with gore
resulted in gate-crashing apparitions.
Lay plastic sheets upon the bedroom floor
and marry wisely, if you have ambitions.

Thinking that he was cuckold to a hanky
the Moor doused lights and strangled his career.
If you suspect your wife of hanky-panky
prudential ignorance may come less dear.

If on some hazy evening you should fall
for a mere Bottom with a donkey's head,
next morning make staunch efforts to recall
exactly what it was you did . . . and said.

Don't make a date for Troilus to meet Cressid
(which seems a kindness, seen in isolation)
a union that turns out to be unblessed
may do no favours to your reputation.

When at long last you know you've got it made
though sure the boss's chair will last your time,
don't wait like Julius for the dagger-blade
before composing a good exit-line.

If driven to barbituates and booze,
the bodkin's present-day equivalent,
read up the Prince's speech before you choose.
The method makes no odds to where you're sent.

When mixing with the smart set's biggest spenders
those argosies may fail to come to port:
your meat and blood are safe from money-lenders
but plastic cards may get you into court.

However macho you may think you are
the servile wifeling has become bad news.
Better to meet a girl-friend in the bar
for dining dutch, than take to taming shrews.

A FAUR CRY FRAE AUCHINLECK

Tae be a Scot yung Jamie Bos'll thocht
a wee thing waur nor yon auld het affliction
that smit him later frae a warm addiction
tae leddies coortit whan in drink, or bocht.
In London toun nae maitter hou he wrocht
he fund that Scotchness wes a sair constriction,
sae twustit aw his mainners an his diction
tae get Auld Sammie's saicrets in his aucht.

The Doctor's Messan set a Scottish paitren
tae mak oor hoggs thair Scottish lugmairks tine.
For speakin Scots wee duddie bairns are skelpit.

An nou in sudron twangs ye'll hear them rettlin . . .
the heirs o Jamie Bos'll's social line,
wha says: *I'm Scottish but I cannot help it.*

DALGRUMPIE HOUSE HOTEL

Here's the Big House where the long line was bred.
Coal built the Georgian and Victorian wing.
When passing on, death duties are the sting;
those who stood firm on deserts, sodden red
sold up. Now there's a posh hotel instead.
Where once they played croquet like anything
and debutantes once had their maiden fling,
a credit card will buy a noble bed.

In the huge hall, beneath the assegais
old ladies knit, bird-watchers compare notes.
From his guilt frame, The General looks stern.

None quail beneath his late Victorian eyes.
Here now the *nouveau riche* hang up their coats,
and City men bring all their perks to burn.

FERM VEESIT 1791

They cam tae veesit here on Hertbrek Ferm
tae see whit kin o craiter they micht finn
whit kin o day's darg sic a chiel pit in.
But poetrie bi nou had wrocht its herm,
its tares weel skailt abreid frae the evil curn
set there bi Clootie's haund tae mak him blinn
tae ocht but sang and rhyme an fleshlie sin,
that ruitit deep in ilka bane an thairm.

Sae *this,* they thocht, *this* wes the poet Burns
laird o wersh grunn, an peelie-wallie nowte;
nae furrs bure hairst in parks o pen an ink.

They prayed God keep *thair* sons richt in the hairns,
able tae breed guid kye, tae brek a cowt,
sauf in Election frae damnation's brink.

WHY THAT I CANNOT TELL, SAID HE

A bomb went off in Justice Street today,
with a nasty bang and an ugly gout of flame.
None of the known groups has put in a claim,
Freedom Fighters or Terrorists (just say
whichever suits, according to the way
you feel) the end result is much the same
whether the bombers earn your praise or blame:
the pavement's darkened where the pieces lay.

The Thin Red Line, Charge of the Light Brigade
and other forms of Regimental Death,
may make an open claim to bloody daring.

But where this glorious attack was made,
one woman and her child drew a last breath,
and one old stinking wino, beyond caring.

FITSIDES WI A PROOD HIZZIE   Horace 1.25

The door that swung wi guidwull on its hinges
is no sae thrang the day as it wes then,
whan ilka callant rettled on yir wunnock
wi chuckie-stanes tae gar ye cry them ben.

D'ye mind hou yince thay tirlit on yir door-sneck . . .
the guid auld days whan ye'd hear the halflin cry:
*Haw Libbie, hinnie, wad ye hae me stivven
while ye ligg sleepin on yir ain inbye?*

Ye'll shuin be lichtlied by thir hornie laudies;
ye'll greit yir lane doun a toom an clartie close,
the wund o a mirk nicht skraichin frae the hielants . . .
nae mune tae licht yir chaumer, cauld an bose.

Juist lik an auld mear mindan on the couser
freitin an keistie, liggan on yir ain . . .
yir breist will lowe wi the stangs o luve rejeckit
an nae braw jo near haund tae smoor the pain.

Syne ken the callants wad raither the green ivy,
or the braw leaves growin daurk on the myrtle shaw;
auld crynit brainches they gie tae the wund's pleisure,
grey winter's gemm, an watch thaim flee awa.

GALLOWA SPRING

The gowd is back upon the brae
Millyea has tint the snaw;
lown is the northart sough the day
an warm the wastlin blaw.

Blythe nou wha tholed the wintertide
its crannreuch cauld an lang.
Green, green the shaws on braw Kenside
an sweet the laverock's sang.

THE LONELY PLACE

This is the gentle land of the white swan,
the lonely resting-place of journeying geese,
where graceful woodland borders the river-lawns
and the cracking twig startles the shy deer.

This is the valley where winter gales go
roaring through the dark ranks of the bare trees;
where on summer evenings the long twilights glow
under the breeze that rustles the crowning leaves.

These are the hills where the long shadows lie
where the quiet birds upon calm waters rest,
where the green country stretches under the eye
and joy kindles again in the troubled breast.

ON LOCH KEN SIDE

This day the lest snaw liggs atour Millyea,
skyre lift in Mairch hansels the springtime in
as yince in bairntid owre the wastern sea
the sicht o Arran's kaim ablo the suin,
tynin the croun o glentin majestie
gied a blythe warrantie o spring begun.
I hae growne frae the fair heid tae the lyart pow,
but the yae hert sings this day wi the yae lowe.

Up frae the rashes, heich abune the trees,
intil the lift wi eldritch skraich an cletter,
in thair ticht squadrons tovin, the wild geese
I watch in joy wing frae the braid lown watter.
Tho een behaud, it is the saul that sees
mair in the motion not cauld ee-sicht's maitter.
This I hae lang kent, but I canna mak
frae the hert's kennin, whit plain mense will tak.

JUVENILIA AMORIS

Young, I wrote love-songs, heartfelt but not good,
of moon and June and love and mist and stars
on backs of envelopes in gloomy bars;
like betting slips: *they'd* not have understood:
the verse that *they* preferred was short and crude
on curious sexual antics and class wars . . .
the coarse accompaniment of frothing jars.
Limericks they liked, provided they were rude.

Such gems I hid away in private places
until I worked up courage to donate
lines to the latest love. Alas, alack . . .

From early loves I had but slight embraces.
Do they read now with laughter, love or hate?
I sweat to think about them looking back.

NEW-FARRANT WEYS

(Frae the Gaelic o Brian mac Giolla Phadraig 1580-1652)

Thir new-farrant weys in the kintra gar me boke,
nou thiggers geits gae roun wi kinkan flauchts;
coorse orra gowks ettlin tae be gentil fowks,
wi graun claes an rings; they dinna want fir ocht.

Messans an thair bit whalps aw brawlie cled,
wi whirligiggums steekit in their duds;
some wi a cock's-kaim kwylit on the heid
an twa-three gowden tackets thro thair lugs.

This warld's mishanter hes me pitten doun;
cairds skailin sudron Inglis aw aboot;
an no yae ward fir onie makar loun
but: *Nane o yir auld-leid duans here. Get oot!*

TROMLAIDHE

Nuair a thuit tùr-taighean àrda Bailtean a' Chomhnaird
an dèidh na crionachadh bha air na daoine
le tinneas, bochdainn, galar spioradail,
sgaoil am fuigheal as gach larach luidegach.
Bha cothrom na Fèinne aig an Fheadhainn Mòra
a dh'fhàs cho beartach an Baile-Mhamon-Eucorach,
gunnachan is geamairean a thoirt
gu frithean fasail leudaichte ùra.
An dràsd 's a rithist gheibhear truaghan
an impis marbhadh le goirt, ag èaladh
mar choineanach tre raineach,
is cò an duine a choireachadh a charaid
is e 'cuir stad air leithid sin de dhòrainn
le urchair bhaidheil 's e gu tur gun mhi-rùn.

Air neo...

Dh'fhàs an Fheadhain Mora reamhar 's cadalach
le sògh is geòcaireachd is somaltachd,
daorach air ceannard fhreiceadan gach oidhche
ag creidsinn gu robh na treubhan borba samhach.
Dh'èirich luchd-cagarsaich nan sràidean suarach,
a' toirt gach inneal a bu dlùithe dhan làimh,
buideal-theine, beiglid, sgian is speal.
Builgeanan fuileach sna *Jacuzzis* ac'
is teas 's na *saunas* nach do dh'iarr iad.
Thog na tràillean a 'Mhaighdean
an Roinn Malairt nan Stoc.
Chiteadh na cinn 'gan ròladh,
fo shùilean dalla chomputair,
s an sgiamhach amaideach samhach.

Chuala mi mac-talla, nam dhùisg le clisgeadh eagalach:

'Chan eil aingidheachd dhaoine air a cumail fo smachd
le feansaichean meirgeach Bhelsen'.

28

NIGHTMARE

When the high tower-blocks fell in the Cities of the Plain
after the withering that came on the people
with disease, poverty, spiritual sickness,
the remainder scattered from each shabby ruin.
There was every chance for the great ones
who grew so rich in Unjust-Mammon-City
to take their gamekeepers
to the empty and extended new grouse-moors.
Now and again a wretch would be found
on the point of starving with hunger, crawling
like a rabbit through bracken,
and who would blame his friend
for putting an end to that kind of misery
with a good-natured shot entirely without malice.

or else . . .

The Great Ones grew fat and sleepy
with luxury, gluttony and sloth,
the captain of the guard drunk every night
believing the wild tribes to be at peace.
The whisperers arose in the mean streets,
lifting every tool that was close at hand,
petrol-bomb, bayonet, knife and scythe.
Bloody bubbles in their jacuzzis
and a heat in the saunas that they had not sought.
The slaves raised up the guillotine
in the Stock Market building.
Heads were seen rolling
under the blind eyes of computers,
and their foolish squeaking was silenced.

I heard an echo, waking in a start of fear:

'The cruelty of men is not imprisoned
within the rusty fences of Belsen.'

OBITUARY FOR CAPTAIN TAIKLE

From brassbounder to captain, all those years,
of storm and tempest, Doldrums still and blue;
he would not reef to cover up his fears,
tough as the teak his youthful timbers grew.

Barely fifteen and hanging out on yards,
hand for the ship, another for himself,
sails trim and square as any pack of cards,
running and beating stowed his hold with wealth.

Grog-ballasted he swaggered through the port;
he cursed and swore at lubber shipping-clerks;
it wasn't drink or temper breached the fort,
or living over-well on skipper's perks . . .

but little deadly South American darts . . .
so small they can't be seen without a glass,
that set their hooks in bones and brains and hearts,
and bring strong men to many a sorry pass.

Poor Captain Taikle glowered from his chair
till he could hardly move; no girls, no drink;
no hands of nap in Futtock's Tavern there . . .
since at the end he couldn't even think.

Tough as a Turk's head, never known to bend,
bolder than brass and better than me or you;
a square-rig seadog scuttled in the end
with tiny darts, by a lady in Peru.

OAN A FIELD BEERIE A PINT RAMPANT

1

The lairds langsyne bure the heraldic blazon
wi muckle pride tae ilka moot an fecht,
tae stell thair liege-lairds whether wrang or richt
syne lealtie didna hing tae onie reason.
Stravaigin thair wi aa thair airn claes on
nae doot thair brattachs made a bonnie sicht
for aa thair paddit semmits, het an ticht;
(wars were aye focht in the heich simmer season).

Whit then, say I, o Viscount Doodle-Doo
wha, ermine-cled, setts nou abune the lave?
His pentit tairge frae lances tuk nae herm.
I canna credit that *his* blid is bew
whase faithers kent nae chairgers, helm or glaive
but brewt guid yill wi baurley-maut an barm.

2

Whit's wrang wi brewsters nou, I hear ye say,
are they no better nor yon weill-born thugs
skelpin the horseless plebs aboot the lugs,
whiles in deid airnest, ither times for play?
Swats made nae bliddie corses oniwey,
in boattle, tankard, tassie, gless or joug.
Wha, wi his whiskers droont in reamin mug
sees nae improvement in the dowie day?

Atweel, thare's monie that tak muckle tent
o gules an argent, sable, vair an vert,
the badge o deidlie wounds an jaggit thairms.
But, gin on Doodle-Doo *I* luk asklent
the herald chiels, for cash, will tak his pairt;
boattles alane sud weir his coat-o-airms.

THREE WOMEN

They say that man was much disturbed by love,
though some would say, more by the lack of it;
a crying infant in a midnight bed,
a dying woman at the back of it.

He took to strong drink in the middle days
to crush the memories of the sober mind,
until the woman that he took to wife
fled from the shadows that he hid behind.

The last kind lover of the autumn day,
before the night cooled to the grip of frost,
set clearer vision in a calmer eye
of long years wasted to the new love's cost.

POET'S WALK 1796

Exciseman Burns wannert the kittle toun,
his wame aw wersh wi drink, his hert wi gaw;
wha tentit him in this thrawn bit ava?
Nou nocht tae dae but staucher roun an roun
frae White Sands tae Midsteeple, up and doun
the banks o Nith, aye waitin for the caa
o the Caledonian Muse. The bitch had fled awa
an widna yield a sang tae a gauger's tune.

Thro grey Dumfries the cauld broun watter gaed,
droonin the speirit as it smoort the rime
oot tae a stick's tap on the causey stanes.

Whiles the faur city flittert in his heid.
As daurk St. Michael's bydit for his time
the smirr o Solway stoundit in his banes.

AIK TREE

Yestreen the gale wes rettlin gless an sclait.
I heard a muckle dunt in the mirk nicht;
an oorie thing, I waukent in a fricht
gruppit, I thocht, atween the shears o fate.
It wesna Clotho makkin a lest date
as I could plainlie see in the morn's licht.
Yon muckle aik that stuid sae strang an ticht
bi yon byornar Januar blest wes bait.

I hae kent men lik aiks, hae felt the dunt
made on the human speerit whan thay fell
whaur fuit micht tramp on tapmaist brainch an ruit.

Whiles bi sic trunks ye'll see a birkie strunt
an brag as if he'd brocht it doun himsel,
but daurna kick, for fear he'll stave his fuit.

HIELANT JOHN 1930

He mairched aboot the gitters o ma bairnheid
three medals on his briest an the pipes soundin
faur, faur frae Wipers an the bluidy Somme
in this laund fit for heroes tae stairve in.

I couldna pass him on a Setterday,
athoot gien up ma hard-wan penny;
ye're daft, said ma auld-mither,
he'll spend it on the drink.
But I couldna jist gae bye him.

Yince, pipes ablo his oxter
he heard the rettle
o my aums in his tinnie.

He cried oot eftir me
ither an aith or a blissin.
Ma tackets duntit the causey as I ran
awa, awa frae a kennawhat in his een.

LUCRETIUS: BUIK THREE SNEDDIT

He aye threips oan that when ye're deid ye're deid.
Thae's be nae girnin in ablo the mool . . .
nor tholin Clootie's salutorie dool.
Thir heuks an whups an flames aboot yir heid
or haloes, gin ye jouk yon sair remede,
are products o the joukerie-poukerie schuil . . .
sae daith bed prayers, the cauld repentance stuil
een masses fur yir saul wull dae nae guid.

Think deep on the dern power o usquebae . . .
the staucherin limb, the menseless bletherin tung . . .
yeskin an soomin een an howff-yaird fecht.

Ye see what jist a wee drap drink kin dae
tae skaith the strang yauld spierit o the yung?
Mair mauchtie dunts come frae yon daurker dracht.

AULD DEIL, NEW DEIL

Yon hoose wes biggit for a royal geit,
auncestors o His Lairdship that's jist gane.
O geits or leeshensed bairns he faithert nane,
but sate ahint the writhin wrocht-airn yett
wi nocht tae dae but guzzle an keep het.
Lest of the line, he wes maist timeous taen,
strang drink an foostie phaisant wes his bane.
His yirdin roosed nae wanwordie regrate.

Some weel-aff birkie's bocht the Muckle Hoose;
a browster's brat ettlin tae be a laird,
wha luks asklent at aw wansillert men.

He's keep on the same flunkies, I jalouse;
saumont an fowl in the auld gemmie's gaird.
Auld Nick's awa, but Clootie's hame again.

SOLDIER'S RETURN

After they took away the plaster cast
he went to convalesce in Belle Falaise.
He wrote such lovely letters from the place
before he came to stay with us at last.

I've never seen a house so tall and grand.
When the sun shines upon its diamond panes
they flash and glisten all across the land
as if the castle burned with crystal flame.
Beside the pillars of the great front door
are two bronze beasts: I do not know their name
but wonderful the hall they stand before.
Ivory tables in tall rooms are kept:
brocaded seats broidered with coats-of-arms:
the bed wherein a king and mistress slept
when free to bed for her erotic charms
after the royal succession was assured.
I've put some weight on and they say I'm cured.

His pension money hardly pays our keep.
When he got home, his leg broke out again;
there's not much nourishment in bread and scrape.
Without the pills he curses with the pain.

SOLSTICE

Trees, still as reflection
in the forest's oratory.

Sidesmen to these aisles,
sycamore, rowan, beech
the needled conifer.

See, the bare branches
bones for spring's resurrection.

AGHAIDH RI H-AGHAIDH

Mar bhalach a rithisd air bruach na h-aibhne,
lùb mi ghlùn a dh'fhaicinn a nuas 'san doimhneachd.
Cha robh breac, no geadas, no doirbeag tighinn nam leirsinn,
ach a mhàin sgàthan dubh, doilleir, fèathach,
is bodach liath teagmhach,
a' sealltainn orm gu cròsda.
Bha mi gun fhoighidinn gun do chuir e bacadh
air aodann na b'òige choimhead suas orm
los gun innseadh e ciamar a bha
leithid dè dh'aighear 's mi òg,
is iasg leisg fodham air la briagha samhraidh.

FACE TO FACE

Like a boy again on the river bank
I knelt down to see into the depths.
There was no trout or pike, or minnow in my vision
only a black mirror, opaque, calm
and a suspicious greybeard looking irritably at me.
I was impatient at his preventing
a younger face from gazing up
that would tell me how I felt
such joy when young
and a lazy fish below me on a beautiful summer's day.

CLARSAIR

Ri pongan finealta fonnmhor nan cruit gleusda
is bodhar na suinn an duigh 'san t-seòmar àrd;
is feàrr leò geòcaireachd seach amhran bhàrd.
Do chraobh bhriagh nan teud cha toir iad èisdeachd.

Is liath mo cheann is chan iarrainn a nis ach ceòl,
coma leam gach call eile ma mhaireas sin;
'nam aonar a' cluinntinn fuaim na clàrsaich binn
'san talla a bhoillsgeas le airgead is òr.

HARPER

To the delicate harmony of the tuned lyre
the heroes are deaf today in the high room;
they prefer gluttony to the songs of poets.
To the beautiful tree of harps they give no ear.

My head is white and I seek nothing now but music,
I care nothing for the loss of all else if that will endure;
alone and listening to the sweet harp's sound
in the hall that shines with silver and gold.

THE AULD MANSE: NEW TENANT

The meenister's lang gane; his kirk is skailt
for the last time. The freestane manse is sellt
tae (sae I'm tellt) a southron millionaire.
Election's smoort by cocktail pairties thare.

I hear thare's prohibition juist the same:
nae gawmlin thare, nae whusper o ill-fame.
Whit yince wis haly maun be keepit hale;
nae greed nor lust whaur Mess-John sowped his kail.

SPINNLE AN LEEM

Doun, doun, the warld gaes doun
the michty biggins fa
the castle's aislars skailt aroun,
mak fit-stuils for the craw,
the cowpit rucks o banes will shuin
be sawn amang thaim aa.

The birlin yird is nae man's mull
for aw thay howp an ken
tae wab on leems o guid or ill
the braidclaith weird o men;
tae cleik an cross thair skeerie wull
the yairn is wund again.

LAST RACE

Broken on a wheel
a hare rests by the road verge,
shrouded by his guts,
his strong hind legs still striving
to beat that sly tortoise, death.

LANG I BIDE EFTIR THE LAVE

(Frae the Gaelic o Duncan MacRyrie c.1630)

Lang I bide eftir the lave.
A shaird o the auld warld tae me
that wes langsyne sae mirrie an brave,
is this warld athoot yon companie.

Nou thir auld singers are gane
til an airt whaur nae makkar is thrang,
faur ben in a lown o ma ain,
I dwyne for the want o a sang.

Yae sang in the leid o the laund
that wes langsyne sae mirrie an brave,
frae a tung o yon braw makkar baund.
Lang, lang I bide eftir the lave.

THE CHOICE

'Sae I micht lieve on yird,
as hire-man tae anither,
better be this than laird
owre aw the deid thegither.' **Homer Od. XI 489-91**

Eftir yon wearie daurg frae burn tae heidrigg
cowpin the furrs owre in the droukin rain,
A tane ma smoke abune the bothie kist
an kent ye wadna sett on there again.

Auld Meg went corp-white whan the postie cam . . .
her guidman deid in France owre twintie year,
an nou yirsel; but she's a gash yin thon,
wi runkilt chafts that cudna shaw a tear.

Gin ye'd steyed fermin an no wan awa,
(syne ithers sodgert, ye wad sodger tae)
tho cowpin furrs is nae gret life ava,
ye'd hae yir smoke upo this kist the day.

39

A PUSHION PEN PISTLE

Ye've no been bidden tae The Carse, Rab Burns
syne yon nicht Captain Riddel flung ye oot . . .
ongauns ye say ye canna mind aboot,
tho we ken ye were fou an tint the hairns.
Eftir the Sabines hud thair Roman bairns
thay got on weel eneuch withooten doot;
no lik yirsel, ye muckle drucken bruit
tae grup a leddie in yir coorse-lik airms.

I kent thay wad begowk ye in the end
for aw yir gesterin aboot the toun
tae mak daft lauds an glaikit lassies geck.

Ye grew that prood yir rigbane wadna bend.
Yon Mistress Riddel's fairlie dingt ye doun
for steckin up yir heid abune the feck.

AYONT HAIRST

Eftir the back-en gales thare cam a lown
wi sklent October suin on the heich muir,
siclike a day when faur-ben licht seems shair;
saucht i the saul when thochts nae langer rin
on orra ploys that mak the haill man blinn
wi gantin back owre lievin's camshoch furr.
A caum whaurin the een micht travel faur
tae baith horizons, landart an deep doun.

Rosehip an rowanberrie gey near shed,
the year's lest stibble glentin in the licht
an sempil quaitness haudin aathing thare:
lift, yird an craig intil the yae thing made
as bricht tae benmaist as tae ootward sicht,
makkin the hert lown tae, an the saul skire.

WILD HAIRST

Warm in the sark-sleeves o an autumn day,
I rypit busses o black berries, played
an hour or twa the hunt-an-gaither trade
o oor first auncestors. They didna pey
siller for yon hairst fruicts binna the wey
o human sweit for ilka mait thay laid
on the cave flair; but I hae heard it said
fear o the unkent drave thair thochts agley.

Yon muckle bounlessness in winter's daurk,
the ooriness that dwalt in ilka tree,
the lang tuim howes, cauld in the souchin wund.

I gaithert berries whaur the brammles mark
the faurmaist mairches o the lave that's free,
feart for aw human daurkness, fell an blinn.

THE FAMILY CORVIDAE

We love the dicky-birds, detest the crows
and raucous rooks in their high breeziness;
sartorially ravens are a mess,
content to wear an undertaker's clothes.
Magpies are better dressed, but even those
seen singly, frighten superstitiousness.
The jackdaw's trim, but we can hardly bless
who stole the Cardinal's ring beneath his nose.

The cunning brutes stay out of shotgun range,
but sport a walking-stick and they won't care;
the stuff they eat would make a vulture shiver.

With all these faults for men to choose, how strange
it's not their clothes, their crimes, their stinking fare
that feeds our hate; it's just that they're too clever.

BALL INNISCHANTER

Mo chreach 's a thanaig, *Willie*,
co th'againn ann a seò
le sporan mòr is fèile
agus seacaid bheartach chlò'?
's e an Innischanter Ceilidh . . .
bu chòir dhuit faighneachd 'Cò'!

Nach e mi-cheàrtas mòr a th'ann
is mi 'nam dhùthaich fhèin,
tren doruis seo a'cluinntinn fhonn,
nach mòr, nach mòr am pèn,
nach fhaigh mi steach am measg nan sonn
a thig bho cheàrnan cèin'?

Ochon a ri, a bhalachan
is fuath leò do sheòrs'
bhith dannsadh Righle Thulachan
s'a measgadh ann an spòrs . . .
's iad stràinnsearan gu buileach ann . . .
nach d'rugadh air ar còrs'.

Nan robh ort putain airgideach
leth-òsan 's sgian dubh,
bhiodh deoch gu bhiodh sgàineadh ort
bho nisd gu *half past two* . . .
ach chan eil thu à *Chislehurst*,
no *Penge* no *Sutton Hoo*.

As Lunnainn tha na Gaidheil an seò
a thanaig son am Ball,
chan fhaigh na *teuchters* dannsadh leò.
NO GAELIC IN THE HALL,
san t-Eilean boidheach grinn a' cheò
at all, at all, at all.

THE INNIS-CHANTER BALL

Mo chreach 's a thanaig, Willie,
but whom do we have here
· dressed in the noble *feile*
in the summer of the year?
'Tis the Innis-Chanter *Ceilidh*
that requires that kind of gear.

But I *live* in Innis-Chanter
and I think it is a sin . . .
though no *misgeir* and no ranter
that they just won't let me in
to the dance and song and banter
and the wagging of the chin.

Ochone a ri, a bhalachan,
such things are not for you . . .
to dance the *Righle Thulachain*
from ten till half past two . . .
with laughter and with frolicking
and big drams of the *stuth.*

Ma bhios na silver buttons *ort*
and *sgian dubh* and hose,
they'll serve you drink until you burst
but you're not one of those
from Chelsea or from Chiselhurst
and can't look down your nose.

The Hampstead Highlanders are these,
who've come up for the ball;
none of your teuchters, if you please . . .
NO GAELIC IN THE HALL . . .
amidst the fun and naked knees . . .
at all, at all, at all.

WATTIE 1930

Ae nicht, eftir the daurg wes duin
he brocht his kist oot frae the bothie
tae the back o the baker's cairt.
Tam wi a gey ill grace
peyed him the awin siller.

Owre the Isles tae America,
lad o pairts, a heid yin o the Companie
turnin oot caurs langer than plew an horse.

I canna mind him bein owre fasht
for onie moose he howked oot wi the couter
but aften wunner if he ever wearit
for aw the yokit mice he left ahin.

FLICHTERIE WATHER

Grey Gallowa, green Gallowa:
the hulls smoort oot Carsphairn awa,
the smirrin wat blaws owre the muir
an thare's nae pleisure in't ava.

Green Gallowa, grey Gallowa:
the wrack's aw gane, the lift is skyre
and wastlins ower Merrick Tap
a burnist tairge o gowden fire.

THE MARCH OF SCIENCE

Mendax the Augur guddles in hens' guts
trying to catch the lurking trout of truth
swimming in entrails that will say him sooth;
he deals in futures that will but no buts
and keep his own hide free from weals and cuts.
False prophet, crafty charlatan or both,
he coats his answers in a wordy froth
and dodges error by ambiguous wits.

Dr Al Embick probes in beastly tissues,
seeking inhumanly for human answers.
In weeping rows his sacrifices stand.

Like Mendax, solving the important issues:
who dies in Gaul? Which lipstick causes cancers?
Each clasps, through time, his colleague's bloody hand.

PRIDE MAUN HAE A FA

Thon bonnie peacock up et the Big Hoose
wad pace the green wi his lang fedders spreid,
his staurie tail gey near sax feet abreid.
Hou braw he wes, hou braw he wes an crouse,
nae coorse-lik orra burd had claes sae sprush.
Proodlie he bure the wee croun on his heid,
an on the wale o corn an meal wad feed,
o aw the gentrie thare the maist fantoosh.

Ochon a ri! A metamorphosis
o aw yon muckle pride hes cam his road;
oor michtie burd hes taen a hummle fa.

Yae forenicht thro the Big Hoose rose-busses
thair cam on him a scabbit, hungert tod.
Nou he's twa tollies doon the birkenshaw.

THAT'S GONE AND THIS HAS COME

The Gaelic refrain is the same as the title

I speak just the fine English now,
my own ways left behind;
the good schoolmaster taught me how;
they purified my mind
from the errors of my kind.
Dh'fhalbh sin is thanaig seo.

High in the service of the south
grand words will gain a place;
the subtleties within my mouth
will soon disguise my race,
the poets' ancient grace.
Dh'fhalbh sin is thanaig seo.

When there's one speech upon the tongue
they can't tell Fionn from Fred.
Though words remembered, sweetly sung
may echo in the head,
we'll smile and call them dead.
Dh'fhalbh sin is thanaig seo.

THE SIMMERS PASS

The gress growes still sae caller green
ablo the bourtree's bloom,
tho halflin dwaums are langsyne flown
lik blossom frae the broom.

Braw nou the petal on the buss,
strang brainch abune ma heid,
but slaw the fuit on simmer pads
whaur yince I made guid speed.

A HANDFUL OF SILVER

There was a ruddy rebel man
who could not love a lord,
or such as kept their riches
with a curtain wall and sword,
so he kept on shooting at the moon.

'I care not if they torture me
with thumbscrew, boot or branks;
I'll never bend a coward knee
to give such robbers thanks,
so I'll keep on shooting at the moon.'

But digging in his cabbage plot
his spade clinked on a chest;
he gave a coin for charity
then hoarded all the rest,
and he winked and blew a kiss up to the moon.

THE FLOUERS AN THE GREEN

(Frae the Italian o Guido Cavalcanti 1255-1300)

Athin ye hae the flouers an the green
an awthing skyre an lusum tae the sicht;
lik the suin's sel yir bonnie face is bricht,
tint in his warth sic bewtie hesna seen.
Nae ither in this warld hes ever been
sae bonnie or sae fu o lusum licht:
siccar is he again wha fears luve's micht
an bi sic lusumness is made luve's frien.

An aw the weemin in yir companie,
bi yir ain luve are thay made lusum tae:
sae nou I ask thaim o thair courtasie
wha best is able, lat hir honour dae
an dearlie haud yir rule in majestie,
syne bi yir bewtie, that ye shairlie hae.

SUIBHNE 'SA MHADAINN

Dùisg! arsa Suibhne,
is e 'cur a thaic ri ceann mo leaba;
bha thu raoir air iteal direach cho math rium fhein.
Facail sgiathach, àrd-shunndach, glòrach,
is do ghairdean a' sior-luasgadh.

Cha b'e gu robh thu 'nad ruith air falbh
bho thaibhsean uamhasach 'san iarmailt,
bho bhraighdeanas dhaoine deagh-rùnach;
is ann a bha thu a'teagasg
feallsanachd, sgoilearachd, diadhachd;
a' tilgeil salmadair an lochan an inntinn
is a' daoibhig 'na dheidh fo uisge tana 'ga shaoradh,
's tu gun eisdeachd ri gealtairean eile.

A nisd, mar a rinn mi fhein,
ithidh thu bracaist bhon dunan;
peanas an fheadhainn a dh'fheuchas
sòlas gun naomhachd.

Dùisg! arsa Suibhne,
le braoisg eagalach air a chlàb . . .
is mithich dhuit eirigh . . .
is do chasan critheanach circe sios air làr.

SWEENEY IN THE MORNING

Wake up! says Sweeney,
leaning on the end of my bed.
Last night you were flying just as well as myself;
great winged ecstatic, high-sounding words
and your arms forever waving.

It wasn't that you were running away
from horrid spectres in the heavens
or the restrictions of well-meaning friends.
You were busy teaching
philosophy, scholarship, theology,
throwing a psalter into the loch of their minds
and diving into the shallow water to rescue it
and never listening to any of the other poltroons.

Now, as I did myself,
you will eat breakfast from the dungheap,
the penance of those who attempt
enlightenment without holiness.

Wake up! says Sweeney
with a fearful grin on his gob.
It's high time you were up . . .
and your shivering chicken's legs down on the floor.

NORTHWARD HO

Tak up yir gless tae Brigadier Hoggs-Blodger,
no langsyne cam tae bide here frae The Sooth,
eftir a guid wheen years as a rid-tabbed sodger
tae cheinge oor weys he thocht a wee uncouth.

Gane drum an fife, bricht regimental colours,
Barrack Room Ballants, tales o the Square that Broke;
his sate in Whiteha swappit for heather hullans,.
brattachs and bundooks for oor peatie reek.

Nou that he's bocht the Peel an duin the ruif,
skailt jaggie wire owre aw oor richts o wey,
whit maitter gin the auld clans staun abeich
tinks want their cruives an poachin never pey.

Nou coontermandit aw oor unscreivit rules,
dress bi the richt and dinna quote Regulations;
real life is rin bi The Bress frae the Boardin Schuils . . .
no bi oor aulder, lowsser congregations.

KEEK AT A CORP

I mind the sicht o the auld wife's face begrutten,
et Big Wull's daith an ma faither gane frae hame,
an me the bairn wha hud the deid man's name.
Come ben, thay said, come ben afore he's pitten
in his lang hame, come ben nou whan ye're bidden
tae pey yir last respecks; he luks the same
as aye he did. The coffin lik a frame
limned oot the corp, aw in the linins hidden.

But no the face. Twesna the man I kent,
weel loed bi bairns an dugs, an auld yins tae.
Ma tears cam no for this but the mindit man.

No this auld menseless corp, cauld, wan an spent,
shuin tae be yirdit in its mither clay.
I wesna muckle fasht whaur you wes gaun.

50

MUSES

Ilk morn I wauken, howpe athin ma breist
Euterpe's here tae veesit me the day;
or daurk Melpomene in some dowie play
tak me, a Banquo tae a royal feast;
Terpsichore, lowpin frae flair tae jeest
kens I'm owre stiff tae birl nou in her wey.
Polymnia an graund Calliope
are sendle nou as warm Erato's keest.

Wha's here tae me but kecklin Thalia
snirtin an geeglin bi the chimla-brace
shoggin ma airm tae pour the usquebaugh.

But satire, baurs an flytin, *inter alia,*
in sprush, trig vairses are nae bard's disgrace . . .
lauchter is gey near poetrie, eftir aw.

BERRIES

Slae o the bleckthorn
afouth on the tree,
ye pit me in mind
o a tink limmer's ee,
wha langsyne in hairst
med a gowk oot o me.

O straucht spirlie rowan
sae dern in the wuid,
the berries drap doun
aff yir brainches lik bluid
frae the herts that no langsyne
sae near ye were laid.

O braid bussie bourtree
yir flooers are aa gane,
yir leaf flitters doun nou,
yir berries are taen,
an the brainch souchs abune
as I walk here ma lane.

VISITING STRINGS

Bright, slender women in our village hall.
To us cultivated yokels they deign to play,
with leaping fingers that delight us all,
sounding these spaces in a different way
from our usual accordeon reel and antic hey.
In the place of parish debate and competing flowers
We hear the chords of grander *salles* than ours.

HAYDN
In this room of the jumble sale and autumn fete,,
smiling he visits us from his summer house
to bring, with allegro, adagio, minuet
his clustered berries of music to fill our mouths.
We tune our peasant ears to his noble sound
and buy, this Friday night for the merest song
some Viennese crystal above us to tinkle and swing.

JANACEK
For his last vain love the music trembles and sighs
after a lifetime younger; a greybeard serenade
whose quavering sweetness whispers and swells and dies.
How deep the viola sings as he walks to the shade
while his dying cadence of passionate song is played.
The melody must end and all chords be gone
where age and youth and music and love are one.

BEETHOVEN
The supple fingers mould the heroic face
of sombre eyes and ears dead to the drum.
In the clef of his deeps are made a counterpoint grace
that his long agony and our night's joy may come
together in the bows' sweep in this country room,
freed from the pitch and frequency of the mundane
till the world's noise comes to dull our ear again.

PRUDENCE

Walkin this mornin by anither loch
glaizie wi ice ablo an early sun,
I mindit the first day that I wes brocht
by bigger bairns doun tae the Laundry Pown.
Rin doon the hull, thay said, an tear et it;
(thay maun hae keeked and nidged et yin anither)
an I sclimt up richt tae the tapmaist bit
an skelpin doun cam I withooten swither.
Syne straucht I duntit doun on my bit airse
an no a saicont later on ma heid;
ma skraichs an yells an black-begrutten face
shuin tellt the ithers that I wesna deid.

But no the day; I cawd a muckle stane . . .
it sklifft alang the ice; it didna brek . . .
I shauchled oot a yaird and back again . . .
nou leirit tae be cannie like the feck.

Wyce bairns shuin lairn; sair airses an split heids
smoor oot the gust fir owre-heroic deeds.

CROWD CONTROL DUTY

Soldiering then I seldom thought of gods,
only of girls, and didn't care a damn.
Armour, weapon and tactic framed the odds;
marshals, not gods, drilled us in battle plan.
As for the enemy, if he stood or ran,
our lines retreat in order or advance . . .
weather or weariness might tilt the chance.

Detailed to stand in a provincial street
I leaned against the shoving, heard the crowd
yell for their holiday thrill, their annual treat.
I watched the prisoner stagger with head bowed
bloody of back beneath the gallows-load.
A sudden sharpness of eye told me the man
outstripped in grace the gaudy pantheon.

FEIDH

An raoir, mar a gheall an sanas,
bha na fèidh air an rathad,
sùilean lainnireach an solus a' chàr.
Cha b'iad na fèidh ruadha nam beann àrda
ach an fheadhainn beag a th' againn sa choilltean Ghallobha.
Thanaig sreath bàrdachd Dhonnchaidh 'nam inntinn:
'Chunnaic mi 'n damh donn sna h-eildean . . .'

Cha tigeadh dhomhsa ach facail bheaga 'na choimeas
mu na feidh bheaga seo:
'Ma 's beag iad, tha iad grinn is neo-challaichte,
agus, gus an tig an saoghal gu crioch,
dileas d'an ghnè-san.'

DEER

Last night, as the sign promised,
the deer were on the road,
shining eyes in the car's light.
These were not the red deer of the high mountains,
but the little ones we have in the woods of Galloway.
A line of Duncan's poetry came into my mind:
'I saw the brown stag and his hinds . . .'

Nothing would come to me but little words compared with his,
about these little deer;
'If they are small, they are graceful and untamed
and, till their world comes to an end,
faithful to their kind.'

TREE SPEIK

Dae they mind on us, the trees, in the grey touns
whaur a tree is anither thing in a Cooncil Park
lik a widden bink, aw thir tame beds o flouers
in couthie suburbs hapt wi an airn dyke,
nae mair a pairt o thair realitie
nor fremit beasts in a faur ceetie zoo?
Are we kent as trees ainlie when the mind's tuim
an the hairns sined oot frae the warld's wechtie daurg?
No sib tae the ettlin warld whaur they bide . . .
the warld o transport, television an tea-time,
or seen merely as naitural conveniences
a bonnie backgrunn tae the kintra picnic.

Whit dae thay ken o the time we fullt *Coed Celyddon*
bussin the glens frae Kentigern's Green Place . . .
frae Clyde tae Solway shore.

A man micht gae for weeks in the tree's shade
an nivir staund ablo the selsame brainch.
Dae thay wha bide in Suibhne's Gallowa
or whaur yince stuid the forests o Srath-Chluaidh
ken whaur under the braid bield o trees
lane Lailocen walkit wud, thare Taliesin,
Bluchbard and Cian sang tae the Northern Men,
listenin aye listenin tae the souch
heich in the brainch o aiks . . .
auld whan oor laund wes young.

We are the *darach* and *derwen*
the druids honoured in the aiken-shaw;
thay yaised oor michtie herts withooten greed,
takkin but the needit portion, kennin
that learit tent maun be taen o lievin things:
for trees, as men an beasts, are lievin things;
the board an plank the bare banes o a corse.
Ken we are fauldit intil Scottish lear
tae mak a Gaelic alphabet o trees:
ailm, beithe, coll, darach,
eadha, fearn, iubhar.

An we are different as men are different
frae yin anither, frae aw ither beasts,
the aik is no the elm . . . nor yae brainch lik anither.
Wha kens us nou forbye the forester
tellin wi a glisk o the ee
The Mither o Forests frae the greetin sauchs;
the bonnie rowan frae hir neebor hawbuss
hingin wi berries bi a burn in hairst?
Wha kens the simmer o the heich brainch
the leafie shaddas o the forest croun?

Een the sicht o the bare winter birk, aik, elm,
kin heize the spierit, bare o aw foilie still
the warrantie o flouer-buskit spring,
when snawdrap, daff an wund-flouer growe ablo
an leaf on brawest leaf we burgeon tae the simmer
in *breacan* setts o ilka green an siller . . .
an oor green haunds raxin oot yin til ither
till hairst caas doon the simmers bonnie cloak
tae lay a carpet on the forest flair
that the maist eident wabster couldna mak.

We are the bonnie trees o the teuch hert
treisure tae the square-wricht's skeelie haund,
an nou as jimp as gowd. We are the trees
that bieldit the wild boar.
Whaur is yon craitur nou?

An as the boar hes gane, sae crine oor neebor trees
an gin the seedlin isna gart tae growe,
sae man will tine oor saucht an michtie bield.
nor will twa hunner year, ten o yir generations
Full oot the lifetime o the noble aik;
yon sauchin brainch heich abune Doon an Nith
bieldit the heid o men wha talked wi Burns.

Pit back the trees that med the birkenshaw,
the wuids o eild, the lang braid, dochtie forest
o aik and elm and *faibhile,*
that busked the straths langsyne.

Pit back the aik, the rowan an the sally
see yince again the blackthorn on the druim;
rowan an elm, the birk an bonnie gean

for as our ruits haud tae yir native yird
sae mankind staunds,
an as we faa tae nocht sae mankind faas,
an the haill mapamound
crines tae a steirless craig withooten saul,
whaur the suin's licht
faas on the bieldless stour o a beld stern.

TRUE FIRE

Voice in the head
sang magic lines,
written then read
time upon times.

Saw it well-done;
'look, read me, look'. . .
hoping that some
might make a book.

Sharp print and then
new fire was lit;
'print me again,
many times yet.'

Then critics carp;
stung by each slight,
embittered heart
won't sing aright.

But he grew tired
of such barren strife,
longed for the Voice
to lighten his life.

Only one care:
to make his song
passionate, spare . . .
all else is wrong.

CLAONAIG

(Air son Deorsa Caimbeul Hay nach maireann)

Air traigh Chlaonaig Chinntire
coimhead a rithisd air cir Arainn,
cha robh togail 'nam chridhe
air son boidhchead an fhearainn.

Chaidh mo chas air a' ghainneamh
'san dùthaich bu ghnàth leat,
far an diugh is glè ainneamh
a chluinnear sreath Gàidhlig.

Guth do bhàrdachd an lathair
far an d'shoirbhich do lèirsinn
roimh eilthireachd 'sa Chathair
is là falamh do thrèigsinn.

Anns an t-seòmar beag caol
aig a cheann thall do theinne,
ged bu chùl leat ri gaoth
dh'fhalbh ort teas na greine.

CLAONAIG

(For the late George Campbell Hay)

On the beach of Claonaig in Kintyre
looking again on the comb of Arran
there was no lifting in my heart
at the beauty of the land.

My foot went on the sand
of the country you knew
where now it is seldom
one hears a phrase of Gaelic.

The voice of your poetry was there
where your insight prospered
before the exile of the City
and the empty day of your betrayal.

In the little narrow room
at the far end of your strife,
though your back was to the wind
the heat of the sun deserted you.

STIOPALL ULM

Stad an trèan air an drochaid.
Chunnaic mi stiopall Ulm ag èirigh
àrd, àrd, san iarmailt soilleir glan
mar obair-ghrèis air aodach gorm neimhe;
dualan Ceilteach san adhair.

Gun teagamh, thanaig an smuain sin a stigh
air iomadh fògarrach Gaidhealach
sna ceudan fada dh'aom
is cuimhne aca air Alba
nan dualan imfhillte.
Manaich, sgoilearan, saighdearan . . .
priomh marsantachd na h-Alba.

Gu h-obann bha iad ann,
is b'aithne dhomh iad.
Chòrd an cuideachd sin na b'fheàrr rium
na fàileasan bàna mo latha-sa
air cabhsairean mo dhùthcha
is iad an imcheist
mu'n dualchas aca.

THE SPIRE OF ULM

The train stopped on the bridge.
I saw the spire of Ulm rising
high, high into the clear bright firmament,
like lacework on the blue garment of heaven;
Celtic patterns in the sky.

Doubtless that thought had come
to many an exiled Gael
in the long centuries that have gone
and they remembering Scotland
of the entwined patterns.
Monks, scholars, soldiers . . .
Scotland's chief exports.

Suddenly they were there
and I recognised them.
I found their company more congenial
than the pale shadows of my own day
on the pavements of my country
and they uncertain
of their own heritage.

FAREWEEL TAE YESTREEN

(Frae the Gaelic o Niall MacMhuirich 17 cent.)

A lang fareweel tae yesternicht,
a sharrow stang nou that it's gane;
gif I suid thole the widdie's heicht
yit wad I leeve it owre again.

Twa thare are ben the hoose this nicht
wha canna smoor the ee's bricht wiss
nor dern awa frae ither's sicht
a glisk o luve as fain's a kiss.

The glisks o luve that flicht atween
as shair as onie kiss maun seal
the saicret memorie o yestreen,
the waesome stoun o herts' fareweel.

The clashin tongue in vain may seek
oor sang o luve, O bonnie een
that seek mine frae the chaumer neuk
an tell yince mair my ain hert's teen.

O that the nicht wad never gae,
wad never come the dawin bricht,
sae we suid be thegither aye.
Arise, ma hert, an smoor the licht.

WINTER OWERCAM

Whan the rid lowe hits Loch Grannoch's mirror
atween the Fell an Craiglowrie Hill,
syne bid fareweel tae the dour winter,
tae dowie lift an the crannreuch's chill.

Anither year wan til bricht simmer,
the snell fae is yince mair caa't doun,
nae gowl at nicht in the heich timmer,
lee-lang days nou an the gloamin lown.

CONSTITUENCIE VEESIT

Oor M.P. cam tae veesit us lest nicht;
gied us a taak in the MacTumshie Ha.
The echoes duntit aff baith ruif an wa;
loodspeakers sae the deif cud hear him richt.
His claes lukt bien an cosh an sneddit ticht,
jaikit an breeks steekit in Saville Raw,
wi shuin as bleck an glaizie as a craw,
his sark an grauvit baith a bonie sicht.

A canna mind nou whit it wes he said
for aa we ettlt eftir Yea or Nay,
an jist exackly whaur his Pairty stuid
on butter-bings an income-tax an pey.
Nae maitter nou; fowks thocht his speech wes guid.
Shuin be a Cawbinet Meenister, thay say.

AFTER THE MARKET

The pens are empty now, the ring is quiet,
the shepherds spit and laugh, and lean on crooks;
the bargains made with drams to wet the diet
are good or bad, but writ in hands, not books.

A fat young country woman with big feet,
a child on arm, another at the knee,
bullies a reeling drover down the street,
dividing her care fairly between three.

The bidding's stopped, and slap of palm on palm
is sealed forever; all is dealt and done.
they stand awhile under the twilit calm,
then shrug their collars up and head for home.

KIRKS SUDNA BE OWRE BRAID

MacCowal wes brocht up in the Nerra Kirk,
that, Setternicht, stowed cocks ablo a creel,
an cleekt up the weans' swings an birlin-wheel;
an awkin ither barebaned godlie wark
thay thocht wad shuin ding doun the Pouers o Daurk.
Nou, growne tae man's estait he canna feel
sic ootlan weys will hain him frae the Deil
the day he's laid trig in his yirdin-sark.

Nou he's be gleg in onie kirk or nane:
synagogue, mosque, pagoda, Quaker Hoose,
The Kirk o Joukerie-Poukerie, or Plain Sailin.

Staunch pillars o aw sects syne tell him plain:
sauls athoot spiecial kirks sud no be crouse;
aw heresie growes frae a want o walin.

CASTLES

A ruined tower stands upon the hill,
where in the bloody times the great would think
stocked for the siege with fuel, food and drink
to laugh through the long months and eat their fill.
The grim beseigers, waiting, cold and still
knew that the fires would die and bellies shrink,
that grand proud hearts for lack of wine would sink
and tyrants creep out, starving, to the kill.

Now there's a better castle built nearby,
not raised aloft, but hidden in the ground;
six feet of concrete bind it all about.

All our important people are to try
to see The Bomb out underneath the mound.
Who waits for these, when they come crawling out?

INFERNO

Thir Malebolges gar ye sweit a taet;
nestie, frae Circle Yin tae Circle Nine,
een fur wee tottie sleekit fauts lik mine.
Whummlin aroon in yon infernal pit
that gowps doun hoor an bellygut an wit
maks deity luk a wee thing less benign.
Cairds, houghmagandie, mockery o wine . . .
thir hellish thochts tak aa the pleisure fae't.

But then, o coorse, in oor enlichtent day
wha lippens tae yon hellfire an damnation,
the brunstane reek, rettle o chine an fetter?

An whan ye stert tae think on aa the weys
mankind's inventit for pain's coancentration
whit maks ye think the Deil cud dae it better?

STARS

Standing beneath the heaven here alone
I see the stars like jewels on velvet lie
in the same figures I have always known
in all my years below the curving sky.
Tonight a coldness lies upon my heart,
their beauty does not charm as it did then,
a child, when neither reasoning nor art
coaxed me to one or other school of men
or later faction when I thought them wise.
The grain is shaken from my sheaf of years
the stars are fading in my seeking eyes,
there is no music in the distant spheres;
they tell the truth about all things that are:
nothing, o nothing stays, not one clear diamond star.

CRAOBHAN

Chuala mise gum b'urrainn dhaibh o shean
coiseachd fo chraobhan bho Chluaidh gu Solabhaigh;
a nisd chaneil a leithid de chraobhan againn . . .
ach pairèid reiseamaid ghiuthas air gach sliabh.

Is toigh leam gu bheil coille cheart air fhagail
eadar an Lochan Dubh is an Gleann Luachrach
gun duine ann ach mi fhèin mar mhial na h-aonar
troimh bhachlag bheag saoghail a tha 'fàs maol.

A nisd on a tha iad a' bearradh claigeann an t-saoghail
is a' tarraing a mach ciabhagan uaine an domhain,
tha mi taingeil airson an t-sopain anns a bheil mi;
chaneil dìon ann idir le mial air ceann maol.

TREES

I have heard that it was possible in days of old
to walk under trees from Clyde to Solway;
now we don't have that amount of trees,
but a regimental parade of pines on every hillslope.

I am glad that there is a proper wood left
between the Black Loch and the Rushy Glen,
nobody there but myself like a louse on its own
through the small curl of a world that is growing bald.

Now, since they are shaving the skull of the world
and pulling out the green locks of the earth,
I'm grateful for the little wisp that I'm in.
There's no protection for a louse on a bald head.

GRIAN IS GEALACH

Thig e a stigh ort
aig ceann thall ar stri-ne
gur urrainn ain-tighearnas
la soillear thoirt bhuainn.

Ged a dhallas a'ghrian
sùil ag amharc a soillse,
is beò fhathast an cuimhne
gealach oirdheirc a raoir.

SUN AND MOON

It will come home to you
at the end of the struggle
that it is possible for injustice
to take the bright day from us.

But though the sun blinds
an eye that looks at its brightness,
the memory is alive still
of the splendid moon of yesterday.

CAOCHLADH

Uinneagan dubha air là grianach;
taigh 'sa bheil corp na h-òighe.
An deidh seachdainn le geall samhraidh,
fuar-ghaoth troimh chonnasg buidhe.

CHANGING / DYING

Dark windows on a sunny day;
a house wherein is the corpse of a virgin.
After a week with the promise of summer
a cold blast through yellow gorse.

ANITHER YEAR BYE

Yince mair I scouk up tae the auld year's turnin
an luk back skelly on the twalmonth gane,
ma saul a-swither atween joy an shame
that here I pleiter on for aw ma girnin
when better men hae pit thair freens tae murnin.
I micht weel weir tae threescore years an ten,
or afore midnicht's chap be gruppit syne
that sae lang joukt the day o mool or burnin.

Et Ne'erday some maun aye be fou gin morn
for glaikit lauchter or for gytit greetin;
a glamourie bides in yill an usquebae.

Ithers gie thanks tae God that they were born
an arna deid yit, gethert in halie meetin.
Nae drams, nae prayers, warrant a neist Ne'erday.

ERMINE

On the braeface the day I saw a stoat
scutterin ower frae yae dyke til the tither,
weel happit up anent the winter weather
in a maist braw and gentie ermine coat
white as the yowdendrift withooten spot,
cosie and warm as lambs' woo unner laither
but hae'in yae advantage awthegither:
the claes whauron baith lairds and leddies dote.

Ye'll see thaim there on monie a graund occasion
in gowden coronets; the beastie's skin
steekit in winter white on scarlet coat,
proodlie paradin there afore the nation.
The stoat kens fine it will gae broun again:
ablo aw finerie a stoat's a stoat.

68

CUTTIE, COGGIE AN TASSIE Anon. 17 cent.

(Owreset frae the Gaelic poem anent thir three
objecks scartit on the heidstane o ane Mulroy.)

Cley cuttie, parritch-coggie, tass,
scartit oot upo this stane;
sair jeedgement on Mulroy they pass,
wha gied thaim nither saucht nor hain.

Said Coggie: it wad be nae loss
the Trump his banes suid never raise
wha gied me nither bite nor brose
but left me toom maist aw his days.

Cley Cuttie said: I'm wi ye there . . .
fir want o reek he'd cut his thrapple,
but brunt ma heid wi's lack o care
an in his pooch he brak ma stapple.

Ach, wheesht, said Tassie wi a grin;
juist bide yir time, ye'll shuin see hou
a sair heid's aw will bother him . . .
he's naething but a wee thing fou.

PARVENU

(Eftir the Latin o George Buchanan 1502-86)

Yince ye were thirlit tae the common fowk;
nane wes less puddock-swalt in the haill toun,
but happit nou in brawer claes ye snowk
an strunt aboot the bit, tae auld freens blinn.
A wedder wore whit ye hae roun yir dowp,
an still yir cleedin hauds siclike athin.

GEOIDH

Air earran rèidh, uaine, faisg air an loch an diugh
chunnaic mi na geòidh ag ionaltradh 'nan ceudan;
chuala iad guth an fhreiceadain is dh'èirich iad
le buillean làidir is ro-chùmhachd air sgiathan.

Tha mi gun fhios ciamar a ni iad eagair
gach aon dhiubh an dèidh a chèile gu lèir gun smuain;
chan fhada nis gus an till iad a rithisd mu thuath;
gun chàirt-iùil no combaist theid iad dhan ceann-uidhe.

Ach, aig a cheann thall, chaneil eanchainn aca;
is e dùchas nàdurach a chumas iad bho chunnart.
Is e gibht phriseil dhaoine, lèirsinn is innleachd,
gun dùchas na geòidh 'gar dionadh bho Mhòr-thubaist.

GEESE

On flat green ground near the loch today
I saw the geese grazing in their hundreds;
they heard the call of the sentry and rose
with a strong beat of powerful wings.

I do not know how they maneouvre,
each one after its comrade entirely without thought;
not long now till they return again to the north;
without chart or compass they will reach their goal.

But when all is said and done they have no brains;
it is merely instinct that keeps them from danger,
Insight and vision are the great gifts of mankind,
without the nature of geese to protect us from disaster.

FASACH

Teas dùmhail feasgar Cheitinn
is an trean a snaigeadh thar Rainich
mar nathair 'na dùsgadh as ùr;
leabhar Dhonnchaidh na mo laimh.

Fear cofhurtail mum choinneamh:
'Leugh mi sin o chionn fhada,
ach cha do mhothaich mi a dith
sa Chùirt nam Morairean Dearg.
Foghnaidh beagan Laideann is Beurla Mòr.'

Sheall mi thar a' mhointrich nam thosd.
Bu chuimhne leam sean sgeul
gur a seo Aite nan Daoine Briste.

WILDERNESS

The close heat of a May evening
and the train crawling over Rannoch
like a newly awakened adder;
The book of Duncan (Ban MacIntyre) in my hand.

A comfortable man opposite me:
'I read that a long time ago
but I never noticed the lack of it
in the Court of the Red Lords (the law courts).
A little Latin and High English will suffice.'

I looked over the moor and kept silent.
I remembered the old story
that this was The Place of the Broken Men.

KAILYAIRD AN AW THAT

Dae ye think yon Henley kent whit a kailyaird *wes*?
Or aw thir ither expairts frae The Toun,
the Heich-Heid-Criticasters lukkin doun
thair nebs tae snirt et kintra chiels lik us
an runkle up a tairt an sharrow phiz?
We ken forbye the ceetie scrievin-loun
hes for a spy-gless Geordie Dooglas Broon
an taks as gospel every ward he says.

But Barbie's no sae bad, an kailyaird's growe
kitchen as guid as onie ceetie jaup.
For yon Fause Hamespun naebodie gies a turd,

but keek oot frae yir vennel, gin ye dow:
the feck o Scotland's scrievers, gey an yaup
first fyled thair buits atour yon sharnie yird.

THE SONNET-GOLOCH

Bewaur yon Sonnet-Goloch; a sair stang
he'll gie, gin ye're no tentie whan ye read;
his venim kills aw ither vairse stane-deid:
Rime Royal, Auchtfauld Rime an sempil sang
nae maitter hou ye scan thaim soond aw wrang.
In dwams an wauken, birlin roon the heid
aw thocht is yerkit intil Petrarch's cleed
o fowerteen lines; an that's no ower lang.

He'll hap ye ticht in octet an sestet
bi faur the stievest o aw crambo-clink . . .
nae easie-osie moadern tapsalteerie.

Lowse frae his fanklin wab ye canna get . . .
sae gin the Sonnet-Goloch ye wad jink
weir aff Daurk Leddies, Belli an Rab Garie.

FEASGAR FONN FOGHAIR

Eadar an Lùnasdal 's an Fheill Martainn
le caoruinn sgarlaid a' fàs gu trom,
sgàthan an lochan gu lèir gun chaitean
feasgar fonn foghair is annsa leam.

Ceò 's an t-simileir ag eirigh direach,
smeuran dubha air an dris nach gann;
ri taobh na h-aibhne mo shòlas-inntinn
feasgar fonn foghair is annsa leam.

Bagairt a' gheamhraidh le fuachd is fiadhaichead
is coma leam sin 'san uair a th'ann . . .
fèath 'san iarmailt is fèath 'nam chridhe;
feasgar fonn foghair is annsa leam.

A QUIET AUTUMN EVENING

Between Lammas and Martinmas
when the rowan berries hang heavily,
the mirror of the loch without a ripple . . .
a quiet autumn evening is my delight.

Smoke rising straight from the chimney,
black berries on the bramble without scarcity;
my contentment is by the river . . .
a quiet autumn evening is my delight.

The threat of winter with its cold and wildness . . .
I couldn't care less about that just now . . .
calm in the heavens and calm in my heart;
a quiet autumn evening is my delight.

LA AN FHITHICH

An innis coille, àite diomhair
buailidh cas an aghaidh chlach
air an sgapadh thall's a bhos
bho là fireantachd an Fhithich.
Droighneach garbh is deanntagan
far an d'fhuaradh aitreabh àrd.
Bu bhinn an ceòl a dh'èirich às
ach fuath leis an Fhitheach sin.

Co a sheasas là an Fhitheach
cumhachd teann an grèim a spòg?
Slaoightearan fo smachd an Fhithich
leagail clachaireachd gu làr?

Chaneil comraich measg nan craobh
do neach a ghabhas amhran mòr:
duan nach cord ri gean an Fhithich,
anns a' choille thèid an smàladh.
Leabhrichean a bh' air an tasgadh,
dealbhan soilleir, sgriobhadh gràsmhor
thèid an sgrios an craos na lasrach.

Fhad's a gheibhear anns a' choille
feadhainn ni an duan an saorsa
na's binne guth na gràg an Fhithich,
buailidh cas an aghaidh chlach.

THE DAY OF THE RAVEN

In the secret place of the wood clearing
the foot strikes against stones
scattered here and there
from the Day of the Raven's Righteousness.
Thick thorns and nettles
where once a high mansion was found.
Sweet was the music that arose from it
but hateful it was to the Raven.

Who shall stand the Day of the Raven
strong power in the grip of its talon?
Wretches under the Raven's tyranny
tumbling the masonry to the ground?

There is no sanctuary amongst the trees
to one who sings a great song
a song that does not suit the mood of the Raven.
In the wood shall be their snuffing out.
Books that were treasured,
bright images, gracious writing,
they shall be destroyed in the maw of the flame.

As long as there shall be in the wood
those who make songs in freedom,
who are sweeter of voice than the Raven's croak,
a foot will strike against stones.

ANITHER BLEST O JANUAR WUN

Back yince again tae white-waashin Rab Burns.
A peetie tes thare's nane o thaim tak tent
o whit the haill shaif o his screivins *meant*,
insteid o gien thir yearlie coamic turns
in speik faur mair weel-kent in Newton Mearns.
Goad, the haill ettle o the bard's been bent
sae ilka thowless philistine kin pent
his 'Life of Burns' owre neaps, aitmeal-an-thairms.

Hear this yin nou, wha'd mak *his* Bard teetotal
spite o aw *reamin swats* an *usquebae,*
tippeny, pecks o maut an *pints o wine.*

Ye'd think Rab Burns had nivir seen a boattle.
Whit maitter? Yin wha med braw sangs lik thae,
gin he wes gey an tozie aw the time.

SEMPER ENIM PAUPERES

Lest year Saunt Birkie's gat the daith watch beetle.
The congregation's walth wad lat ye see
yon goloch wadna jist be tholed tae be
the tacksman o the hemmer-beams an steeple
gowpin the timmer o sic halie people,
wha whiles in hairts, forbye thair purses, pree,
an pray that God bring back the gallows-tree
for skellum-louns whase craigs are ower soople.

Auld Clootie's ugsome inseck gien a dunt
bi Smoorgoloch's maist deidlie pushen-bree,
yince mair it's safe tae ask God for a hearin

aboot the puir, wha ilka virtue want,
bein thirled tae gawmlin, drink an kittle-me
raither than tak up surplus profiteerin.

SMALL TOWN JAUNDICE

Two quayside boats that stink of clams and prawns;
a muddy stream with footbridge leaning over;
statued nonentities on dampish lawns;
three churches that don't speak to one another.

The brickbuilt clocktower, gift of self-made man,
seldom displays the distant city's time;
shopkeeping councillors contrive to plan
their cheating lives by its meticulous chime.

Some day the boats will spring a leak and sink;
the footbridge stays and planking rot and rust,
the swindling linen-drapers die of drink,
the clockface jangle to the ground at last.

For once the sects agree that at the Trump
graveyards will gape, the bony huckster dead
abandon coffins with a guilty jump,
for sneaking sins of business, booze and bed.

Eye falls on boat, on bridge, on clock, on church,
second and minute, hour and day and year;
it might as well have spared itself the search.
Until that trump, not much will happen here.

THE TRUER VISION

From the cell window past the prison gable
he saw the topmost branches of a tree;
watched them each day as long as he was able,
the only living freedom he could see.

His spirit failed him at the chainsaw's roar
on the grey morning that they cut it down;
till he recalled what had been there before,
and closed his eyes to watch its leafy crown.

OLD SCHOLAR

Fire flickers in the winter dusk;
wind in the chimney's throat
whispers of knowledge to the wise:
they only know who know they know nothing.

Shadows have been his long companions
flickering in the cavern of the mind,
seeming as real to him as flesh and blood
or blind time in the market place.

Snubnose Socrates fills a facing chair;
while con-man Ulysses repeats his yarns
of dark seas, shipwreck and enchanting witches.
The swinging pendulum wags out his life.

ELDERS HAVE NO RESPECT

It's not the youngsters who lack all respect
despite the standard scowl, exotic hair,
that tribal uniform they always wear.
You were the same, so what do you expect?
When middle age sets in you first suspect
it isn't *brains,* but Who-You-Know-Up-There,
clean noses, unrocked boats that form the stair
that climbs to the elite of the Elect.

For all supposed rebellion, youth entails
belief that Virtue, Truth and Industry
will earn those well-cut suits from Saville Row.

They say as you grow old the eyesight fails,
but Nature's compensation helps one see
clay foot or cloven hoof poke out below.

LIAM ON HIS SECOND BIRTHDAY

In the first grey light, quietly
you arose from restless sleep;
who was the greybeard in the other bed?
Did you recognise your ancestor
or is that a state that comes with time?
Love perhaps, later an estimation.

Seeing this other being
you bombarded it with a stuffed rabbit;
it made friendly noises,
this thing the world outside will call a grandfather,
but really just an older baby
who has found other toys than stuffed rabbits,
and, tired of these, bombarded the world with them.

As you will do, my grandson
if providence allows.

I hope that when your stuffed rabbit
hits the world on the head,
they will smile at you
as I did.

HILL AND CLOUD

Granite sparkle,
morning shine
far mountains
firm of line.

Slim verse is
a sorry shift
to catch high heaven's
stippled drift.

DOLCE FAR NIENTE

I

Ants are the finest grafters that I know.
They scurry back and forth collecting food
apparently with no great change of mood.
For a whole summer long they're on the go
without a single union card to show;
striking's unheard of in the formic brood.
I wouldn't ape their ways even if I could;
my own go-getting urge is fairly low.

Grasshoppers hang about and rub their legs
to bring on transports of erotic joy.
The only thing they seem to do is eat,
chirp and beget and lay their share of eggs.
How similar to my own life's idle ploy,
resting at ease upon the garden seat.

II

What do the ants *get* out of all this toil?
Nursing, it seems, the eggs of future ants
who'll scuttle round these self-same antic haunts,
dwell in these doomish caves of dampish soil,
shuffle in turn from off this mortal coil.
Scribbling admirers of these formic stunts,
this prudent catering for bleak winter wants,
use the orthopterous idlers as their foil.

Grasshoppers spend their time in holidays,
chirping their lives away while others work;
the fable-makers cover them with slander.

The hymenopterous get all the praise,
brave little chaps who never, never shirk.
Grasshoppers remain deaf to propaganda.

CHURCHYARD TREES

Above the carved and crumbling stones
the tall trees burgeon in the sun.
When my last wintering is done
high oaks will root about my bones.

Whose strong limbs grew before my birth;
two centuries of leaf and fall.
Yet will their branches shade the wall,
my fibres tangled in their girth.

And my old hide will husk the bark,
my drying blood will juice the leaf,
till turn and turn again the brief
years grow within the acorn's heart.

EASIER FOR A CAMEL

Power steps from the car and quotes St. Frank,
(a youth, you will recall, who *gave up* power
and braved a middle-class parental glower
to turn his back on riches as on rank).
Good people, says the Minister, let's thank
God, that at last has come the victory hour
o'er those who made our enterprise turn sour.
Their Red Flag's half-mast now; their chains still clank.

Make me, Lord, of thy peace an instrument
(of which my nuclear missiles are a part,
and good for spreading love where there is hate).

Let me bring light (although I'm sure He meant
light at the proper price) where it was dark.
Prayer comes much cheaper than the Welfare State.

MINOR OPERATION

The surgeon tells me: *here's what I will do;*
(a slice he's taken many times before)
I visualise the knife, sinews and gore;
coward prognosis takes the gloomy view.

If just by chance we should divide a nerve
you'll find a loss of feeling in the hand;
something that can't be helped you understand . . .
I wonder if numb finger-ends will serve.

Thin arms, slim waists that move my aging bulk
from bed to lift and trolley turn me over . . .
sleep now, says one as gentle as a mother
serving nepenthe to my swimming hulk.

A pretty face looks down . . . *Wake up* . . . *wake up.*
How have I gained this Muslim paradise?
after my sins to merit smiling eyes . . .
this theatre angel in a nurse's cap.

I lie, an arm suspended in the air
hopefully sterile, from its gallows beam;
easy and quiet now enough to seem
free from another difficult affair.

TINK PIPER

Nobler than those nobles
rich from brewing beer,
who wear their London baubles
on fancy ermine gear,
my own great clan were gentry
when Fergus came to land
to set the kingdom of Argyle
beneath his royal hand.

I work when I feel like it,
and when I don't I play
upon the eight-hole chanter
each sunny summer day;
the vulgar crowd go by me
in long and shiny cars;
they bombard me with shiny coins
to spend in Oban bars.

No different from the offer
the lesser folk would bring,
to fill the chieftain's coffer
when Fergus was the king,
and as the small change tinkles
on the Ballachulish road,
to show that I'll accept it,
I give a royal nod.

CARRION

A ragged crow rots, flapping on the wire,
hanged by the feet for brigand insolence.
Proud of his tricks, he mocked the flying shot,
kept out of range till age and greed betrayed him.
Now, like the plundered barley, head hangs down,
his strutting legs fettered by binder twine,
the carrion talons curled to empty air.

My beak points homeward cheerfully enough,
but his, more surely, like a compass needle
marks out the course to our common destination.

HIGH SQUADRONS

Bones of dead geese wait by the river's edge
to crumble earthwards and be raised again
as sinews of new captains flying north
in echelon formations beyond thought.

What more of life than in these noble squadrons
delighting in high flight upon the wind,
sigh of concealing reed and migrant urge;
what more of calmness than deep inland water,
promise of spring, sure wings above the strath?

A joyous miracle are wild birds voyaging
against the cloudless blue that holds their cry,
forging an instant of unthinking truth
caught yesterday, mirrored in the swans' pool,
not to be written down, or framed in speech.

BACKGROUND REPORT: BILLY BLAKE

These crazy poems! A shame he never went
to grammar school and Oxbridge where they'd see
his syntax right, his leisure time well spent;
or failing that, no doubt we all agree
some fitting institution run by priests
who'd guard against unhealthy waste of time
engraving insect-souls, unlikely beasts,
or trying to act Innocent in rhyme.

The lower orders never get things right.
If he'd had proper school five days a week
we'd have no nonsense-tigers burning bright,
or all that claptrap (twice!) about A Sweep!
As for Old Nobodaddy in the Sky . . .
there's the Great Ground of Being, after all,
even if none of us are all *that* pi.
Unanimous? Remand? Give Blake a call.

DESIRING THIS MAN'S ART

In a cold cabin on these salty flats
Burne-Tumber lived out long and busy days,
seeming oblivious to wealth or praise,
sharing his bread with gulls and often rats.
He did not paint ladies in fancy hats,
nor seek to catch with brush the winning ways
of dog or cat, or rosy cherub gaze
or vinous cardinals in fireside chats.

Now they pay fortunes for his coloured boards;
ten thousand for a canvas would be cheap;
guards mind his work on many a gallery wall.

The summer painters come down here in hordes,
hoping Burne-Tumber's ghost will wake from sleep.
alas, he doesn't speak to them at all.

CLOUDS

Across the moorland's rim the high clouds sail,
filling the sky's wide sea with dragon ships
that run with reckless canvas before the gale
to where a calm and unknown haven waits.

Tell me these thoughts are gilded on foolish seeming,
that sky is delusion's void and cloud but cloud;
I am saved from grey assent by that far gleaming
and watch till darkness turns me to the road.

RETOUR FRAE THE CEETIE

The suin in azure heich alowe,
wild geese gane frae the watter-howe,
spring smoors oot winter's bane.
I wha in Edimbro wes pent
wi stanie biggins for ma stent
walk this braid muir alane.
Mair blythe nor this I couldna be
gin I were hained frae thocht,
faur ben in halie glamourie,
bricht luminous in Nocht;
but thocht's tine's no ma hine
when sicht an soun are thrang,
whaur bird sings an bud springs
the souchin shaws amang.

Thro craig an carse the watters rin,
breengin an skinklin in the suin
as hilltaps tine their snaw.
the lambs lowp gleg on ilka knowe,
whaur caller green on howme and howe
busks landart's plaidie braw.
I luk doun frae this muirland heicht
on lochan, lea and burn,
a brechan-sett ablo ma sicht
ilk airt I chaise tae turn.
I ken fine in spring time
the gait that I wad be.
I peetie the ceetie,
Here bides true majestie.

MAKING TRACKS

Down the sloping face of the hill park
tractor ruts darken the soft green
that knew the kinder mark of boot and hoof.

Down the tanned face of the old watcher
who knew the horses and despised the tractor
the ruts of time give warrant to the memory.

LEIRSGRIOS

Chaneil eisg an Loch nan Eala
(chaneil eala ann nas motha,
eun rioghail nan itean geala)
chaneil fiù is doirbeag fodha.

Chaneil geug sa choille-challtainn,
chaneil fiodh air bith no cnò;
coma leinne a bhith sealltainn
thar na monaidhean gun deò.

Anns a' Chathair, gheibhear Brùmhor
a' sior-chunntadh, duine còir,
s e gun fhios gun teid a mhùchadh
fo mheall airgid is òir.

DESTRUCTION

There are no fish in Lochnell (swan loch)
(neither are there swans,
royal birds of the white plumage),
nor so much as a minnow down below.

There is no branch in the hazel-wood,
There is neither wood nor nut,
and we are not eager to be gazing
over the lifeless moorlands.

In the City you'll find Mucklewame,
forever counting, worthy man,
not knowing that he will smother
under a heap of silver and gold.

NEW PLANT

I well recall those greenleaf days
before the New Plant came
to manufacture a chemical
with an unpronounceable name;
they take it away in tankers
that rumble along our street,
while the pavement slowly disintegrates
to rubble beneath our feet.

The munchers of the meadowgrass
of smooth and glossy hide,
all sweated away to skin and bone
and their one-eyed offspring died.
The farmers all have gone away
to find some sweeter land,
and The Plant has bought their pastures up
so Business can expand.

Poor Jane, once plump with puppy-fat
has grown so pale and thin;
young Mike has swapped his acne
for a blueness of the skin.
We haven't got the cash we need
to help us move away . . .
through those alleged Enquiries,
we cough our lives away.

FACE-LIFT FOR THE FIVE BELLS

The settlers do not like our rural inn;
too spit and sawdust for suburban taste,
this hovel on the margin of the waste
fit for our grog but not their genteel gin
and tonic with a lemon sliced therein.
Here in the wild this granite box was placed
to solace smugglers passing by in haste;
its walls have ears attuned to yokel din.

Half-timbering they want; all lath and plaster
lanterns with bulbs in, carpets on the floor,
horse-brasses that have never seen a horse.

All change the locals view as a disaster;
we like the grime as grandad did before.
Progress will bring Mock-Tudor in, of course.

COMPETING INTERESTS

Each evening with an eardrum-tearing roar
the speedboat motors sound across the lake.
The fishing floats bob wildly in the wake
of waves that madly run from shore to shore;
the fish, say anglers, don't bite any more;
bird-watchers mutter of the steps they'll take
to calm the pools for coot and heron's sake,
and bring wild things to where they were before.

We want the thrills, the fun, say golden boys . . .
spray in the face, cold slipstream in the hair . . .
room, room to water-ski for miles and miles.

A plague upon your noisy, smelly toys;
fun you shall have, excitement; never fear.
We're stocking up the lake with crocodiles.

BURDRIMES

The stuckies arna jist ma wale o burd;
It's nae gret pleisure whan thair sang is heard;
thair jaikit's bonnie but a wee thing flash . . .
the tail's sae short as tae be near absurd.
Thir burdlife keelies, impident an gash,
awroads thay flee aboot the kintraside;
lik reivers on a herryin, doun thay glide,
but ye'll no fin thaim roostin thare at nicht.
On bieldie ceetie winnock-soles thay bide.
Thay spreckly skellums ken whit's whit aw richt.

The phaisie is a pleisure an a joy;
aw happit in his tartans lik Rob Roy
he scarts aboot an swanks on drystane dykes
an gies lood scraichs when on his coortin ploy.
It seems the Plain Janes are the yins he likes.
An yit, for aw his bonnie fedders thare
the twalbore gentrie dinna muckle care.
Tae scape the butts he hesna a gret howpe . . .
he sprachles lik a bumbee thro the air
an gets a chairge o leidshot in his dowp.

For aw his yirdin-claes the craw ye'll see
hes aye a braisant skinkle in his ee.
Struntin aboot the ferm on laither legs
in ilka seck an trouch an kist he'll pree,
then lowp thro boles tae lift the chookie's eggs.
He canna sing, thare's nane wad say he's braw,
kens tae an inch hou faur yir neive kin thraw.
He'll no aye jouk the wuddie, orra tyke . . .
but tholes the rouch assize o kintra law
tae hing, neb-doun upon a barb-wire dyke.

The bleckie's cleed is blecker nor the craw's.
He maks his nest gey near yir gairden raws
an maks himsel at hame aboot the place.
He'll sweir et ye frae ben the tattie-shaws
an eats yir grozets richt afore yir face.
Gaird aw yir fruit wi ilka net ye hae,
he'll be thare et the dawin o the day,
lauchin tae see ye tyauvin on sae thrang.
He'll eat ye oot o hoose an hald, but pey
for aw his rypin wi a bonnie sang.

SMALL FURRY ANIMAL

Siamese Princess and a moorland mog
begot his warmth; we fostered his demanding.
Sitting on posts like an Egyptian god
he thinks cat thoughts beyond my understanding.

Black as a raven but for his brown throat
he twitches in fierce dreams of claw and tooth.
Stroking the smoothness of his silken coat,
I seek, in cat complexity, some truth.

BLIDDIE EGG-HEIDS

Socrates whan he'd tuimt the deidlie jaur
wullt Xanthippe jist twintie bare bawbees;
philosophers an poets canna heize
wives' an bairns' howps o riches ower faur;
nae Firm tae gie *thaim* perks an a free caur.
Ithers, less easy-osy owre thair fees,
get single maut, an kitchen tae thair teas;
denner in howffs whaur scribblers wadna daur.

Plaister the publick's phizz wi beautie lotions;
sell thaim newspapers lippen-fu o lees;
aye pander tae the belly or the ballop.

Poets jist stow fowks heids wi unco notions;
philosophers hae bunnets fu o bees.
Better tae gie the buggers hemlock-jallup.

SEASCAPE

The weekend sailors tried to come alongside,
drylanders to a man; the old men watched
too shy to offer help, then one spoke out;
the chief of bunglers talked of kedging off,
looked down his nose: *It's all right, we can manage.*
Another fathom out, said Calum Do'laidh,
and the tide will take them all a trip to Ireland.

Old Erchie leaned against his upturned boat.
Just something to pass the time, scraping and painting.
I offered him the caulking of his seams;
he wiped his whiskers, nodded towards the kyle.
Maybe next time she'll take me out to join
my brothers lying yonder off the sgeir.

DRUMLIE DAY

A blashie day an smirr doun on the Rinns;
the simmer bides awa for aw the green.
I gove atour the muir an coont ma sins,
sichin for the wechtie deeds I micht hae duin.

An no yae wather-gleam tae heize the maitter;
a menseless, mirkie day o mochie gloom,
whan the lift's luggies are lippen-fu o watter,
an Goad alane kens whan they'll aw be tuim.

GLOSSARY

Where *ch* occurs in place of Standard English *gh* or *g* it has the fricative sound of *ch* in loch or Bach. The vowel sounds are much flatter than in so-called Received Pronunciation.

The spellings *thay, thare, thair,* indicate the flat Scots vowel. The spelling *ey* (as in wey / way) indicates the diphthong heard in the Scottish pronunciation of the word *tide.*

abeich: aside
abreid: abroad
abune: above
afouth: abundant
aidled: addled
aikenshaw: oakwood
airt: place
aislar: ashlar
aith: oath
alowe: ablaze
anent: concerning
asklent: aslant
atour: across
atweel: indeed, surely
aucht (in his): possession
auchtfauld: eightfold
auldfarrant: old-fashioned
auldmither: grandmother
auldson: eldest son
aums: alms
awin: owing
bairnheid: childhood
ballop: trouser fly
barm: yeast
baur: joke
begowk: befool
begrutten: tearstained
beld: bald
ben: through/within
benmaist: innermost
bew: blue
bien: comfortable
bigg: build
bing: heap
bink: bench
binna: except
birkie: upstart
birkenshaw: birchwood
blashie: showery
blauds: papers
boak/boke: vomit
bose: hollow
bourtree: eldertree
brattach: banner
braw: handsome
breacan/brechan: tartan
bree: juice

bruckle: brittle
brunt: burnt
bundook (Hindi): rifle
bure: bore
buss: bush
caa: move, cause to move
caird: tinker
callant: youth
cannie: careful
cantrip: trick
causey: pavement
chafts: cheeks
chiel: fellow
chuckie-stanes: pebbles
clartie: dirty
clashin: gossiping
cleed: clothe
cleek: hook
clug: block
cockernonie: fancy bonnet
cogie: wooden dish
corse: corpse
couser: stallion
couthie: sociable
cowp: tip
cowt: colt
crack: gossip
craig: rock, neck
crannreuch: hoar frost
crine/cryne: wither
crouse: merry, content
cruive: hovel
curn: seed
cuttie: tobacco pipe
darach: oak
darg/daurg: task
dern: hide/hidden
ding: hammer
dird: thrust
douce: pleasant
dowie: sad
dowp: backside
dowff: dull
dool/dule: grief
dreich: dismal
droukin: soaking
druim: hill-ridge

drumlie: gloomy
duan: verse
duddie: ragged
dwyne: waste away
eident: diligent
eild: long ago
ettle: attempt
fanklin: entangling
fantoosh: 'posh'
fash: concern
feck: majority, mob
ferlie: wonder
flain: arrow, dart
flytin: scolding
forenicht: evening
fou: drunk
fouth: abundance
fufft: puffed
furr: furrow
gabs: mouths
gant: gape
gar: compel
gaw: gall
gesterin: swaggering
gilravage: harry
girn: complain
glaikit: vacuous
glaive: sword
glaizie: glossy
glamourie: enchantment
glaur: mud
glisk: glimpse
goloch: beetle
gove: stare
gowk: fool
gowl: grumble
grane: groan
guidman: man of house
gytit: maddened
haet: a bit
hain: save
hainch: haunch
hairns/harns: brains
hairst: harvest/autumn
halflin: stripling
hap: wrap
hause: neck
havers: nonsense
hawbuss: hawthorn
heich: high
heidrigg: field edge
heize: heave, lift
herry: plunder
hine: haven
hinnie: honey
hoast: cough
howff: inn, tavern
howk: dig
ilka: each

inbye: inside
jeest: joist
jouk: dodge
kaim: comb
keistie: randy
kennawhat: a 'something'
kinkin: wavy
kittle: uneasy, tickle
kye: cows
kythed: appeared
kwylit: coiled
lair: grave
lane (on my): alone
landart: landward
lave: remainder
leal: faithful
lear: learning
leddie: lady
leem: loom
leeshensed: legitimate
leid: language
lichtlied: slighted
lift: sky
ligg: lie
limmer: flighty woman
linins: shroud
lippin-fu: brim-full
lowe: flame/glow
lown: windless/calm
lowp/loup: leap
lugmairks: earmarks
lusum: lovesome
lyart: white
makar: poet
mapamound: world
maucht/mauchtie: might/mighty
meeda: meadow
mear/meer: mare
menseless: foolish
messan: lap dog
mirk: dark
mishanter: accident
mochie: close/humid
mool: earth
muckle: much/great
neaps: turnips
neb: nose
neist: next
nieve: fist
nocht: nothing
nor: than
nowte: cattle
ochon a ri: alas
ongauns: 'goings on'
oxter: armpit
pad: path
park: field
peel: pill
peelie-wallie: listless/sickly

pleiter: poke about
pooch: pocket
poother: powder
pow: head
pown: pond
puckle: small amount
puddock-swalt: frog-swollen
rash: rush
rax: reach
ream: foam
retour: return
runkilt: wrinkled
rype: plunder
santit: revered
sark: shirt
scart: scratch
sclait: slate
sclim: climb
scook/scowk: skulk
scrieve: write
scunner (some): disgust (ing)
semmit: undervest
sendle: seldom
sempil: simple
sharn: cow dung
sharrow: bitter
shauchle: shamble
shaw: wood
shog: jog
shuin: soon
siccan: such-like
siccar: sure, secure
sichin: sighing
siller: money
skail: scatter, spread
skaith: harm
skeerie: flighty
skellie: cross-eyed
skellum: rogue
skelp: smack
skire/skyre/skeer: limpid
sklent: slant
skliff: scrape
skraich (ch hard): screech
smirr: drizzle
smit: infected
smoor: smother
snirt (le): snigger
snowk: sniff
southron: R.P. English
spinnle: spindle
sprush: tidy
square-wricht: cabinet-maker
stang: pang
stapple: pipe-stem
stauchran: staggering
steek: stitch
stell: support
stent: brace

steive: sturdy
stivven: freeze
stravaigin: strolling
strunt: swagger
strunts (tak the): sulk
swats: beer
swippert: swiftly
swither: hesitate (ion)
syne: since, then
taet: small amount
tairge: shield
tapsalteerie: upside down
tass: cup
teen: pain, grief
tent: attention
thairms: guts
thig: cadge
thirl: attach
thole: endure
thrang: busy
thrapple: gullet
threip: insist
timeous: timely
tine/tyne: lose
tint: lost
toozie: tow-headed
tollie: turd
tottie: small
toom/tuim: empty
tove: soar
tozie: tipsy
trig: neat
unco: remarkable (y)
usquebae: whisky
wab: web/weave
waesome: sad
wale/walin: choose/choice
wan-: un-
wastlins: westward
wather-gleam: distant sunshine
watter-howe: water-hole
wedder: castrated sheep
weir aff: fend off
weird: fate
wersh: sour, bitter
whirligiggums: gewgaws
widdie: gallows
winnock: window
wiss: wish
yae: one, single
yarra-shanks: yarrow stems
yaup: lively, keen
yerkit: drawn together
yin/yince: one/once
yird: earth
yokit: harnessed
yowdendrift: driven snow